ANTOLOGIA
REGIONAL ARGENTINA

Graciela Molina de Cogorno
Nilda Pedemonte de Conforte
Blanca Di Tella de Uriarte

Profesoras en Letras, han desarrollado una fecunda acción docente en la especialidad *Lengua* y *Literatura* en los tres niveles de la enseñanza, a través de la cátedra, las publicaciones, el cargo directivo y la función pública.

ANTOLOGIA
REGIONAL ARGENTINA

Buenos Aires

1983

I.S.B.N. Nº 950-9095-08-7

Queda hecho el depósito que marca la ley

©

EDICIONES BRAGA S.A. - MORENO 1617

Tel.: 37-9650 - BUENOS AIRES

PROLOGO

Tres profesoras de extensa y eficaz actuación en los diversos niveles de la enseñanza han estructurado este libro, que comporta una selección de textos representativos de las zonas geográficas argentinas. Como autorizadamente lo señaló Augusto Raúl Cortazar, se establecen precisos deslindes culturales y con buen criterio, las autoras han determinado preservar los rasgos característicos de estos ámbitos, en momentos, cuando existe por diversos medios, la tendencia a la uniformidad. Esta labor de inteligente registro supone una vigilante captación de rasgos y matices, sin perjuicio, naturalmente, de la vigencia de un espíritu nacional, que articula y sostiene las distintas modalidades regionales. Concordante con ello, han seleccionado convenientemente los textos de prosa y verso en proporción equilibrada y han cuidado con empeño la incorporación a la antología, de valores jóvenes, de iniciación reciente o de más restringida difusión, con el meritorio objeto de contribuir a su conocimiento. De este modo, han logrado un libro de evidente interés, que es de utilidad tanto en el campo docente como en todo sector, dispuesto al acercamiento a la literatura general.

En un ensayo de aparición reciente, Bernheim señala cómo es peligroso ver en el aprendizaje de la lectura tan sólo un procedimiento técnico; la lectura debe proporcionar desde el comienzo la clave para abrir mundos insospechados, expresiones inolvidables y propuestas vitales y así debe ser enfocada siempre. Con la concepción de estimular los valores profundos, se ha concebido y ejecutado el libro de las profesoras Cogorno, Conforte y Uriarte y, por ello, es fácil predecir su cálida recepción.

Angel Mazzei

INTRODUCCION

Esta Antología Regional Argentina es el resultado de una investigación que no pretende ser exhaustiva. Quiere mostrar los distintos ámbitos culturales de nuestro país, que, integrados, dan una visión total de la Patria.

La estructura de la obra tiene como eje conductor la división que propone Augusto Raúl Cortazar en el ensayo "Literatura Folklórica" incluido en la "Historia de la Literatura Argentina" dirigida por Rafael Alberto Arrieta.

A los ámbitos propuestos en el mencionado ensayo, agregamos el "Ambito de la Capital Federal". Abren y cierran la antología poemas que cantan a la Patria.

Los autores seleccionados son escritores argentinos de este siglo. En los textos dan testimonio auténtico de cada región a través de la presencia del paisaje y sus connotaciones humanas.

Las Autoras

El poder de la poesía argentina como educadora de las emociones es enorme. Mi sentimiento de la patria, por ejemplo, fue cobrando forma a través de la palabra de sus poetas. Nunca agradeceré bastante a estos demiurgos que contribuyeron a hacer real aquello que en el plano del pensar y del querer, tenía la ambigüedad de lo imaginario. Si yo me preguntaba por el "ser nacional" no hallaba una respuesta intelectualmente válida. Pero aún sin respuesta, aprendí a amar el país a través del modo en que los poetas cantaron sus hechos y sus cosas.

En la obra de los más grandes había un tono celebratorio de la patria. Ella fue un tema constante, un culto, un acto de meditación, un testimonio de amor a su historia, a su geografía, sus ciudades y sus hombres. Había allí una Argentina que recobraba su unidad manteniendo sus diferencias. Más claro aún: éstas dejaban de ser las aristas irritantes de la división y el rechazo mutuo, y se convertían en los matices necesarios de un paisaje contrastado y prodigioso.

Víctor Massuh

De "La Argentina como sentimiento"

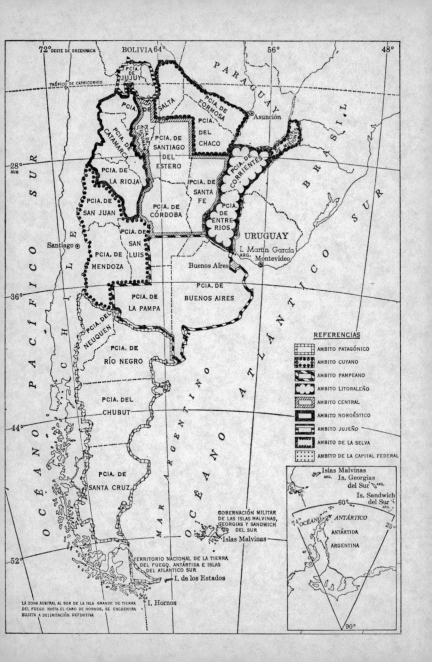

ODA COMPUESTA EN 1960

Jorge Luis Borges

El claro azar o las secretas leyes
Que rigen este sueño, mi destino,
Quieren, oh necesaria y dulce patria
Que no sin gloria y sin oprobio abarcas
Ciento cincuenta laboriosos años,
Que yo, la gota, hable contigo, el río,
Que yo, el instante, hable contigo, el tiempo.
Y que el íntimo diálogo recurra,
Como es de uso, a los ritos y a la sombra
Que aman los dioses y al pudor del verso.

Patria, yo te he sentido en los ruinosos
Ocasos de los vastos arrabales
Y en esa flor de cardo que el pampero
Trae al zaguán y en la paciente lluvia
Y en las lentas costumbres de los astros
Y en la mano que templa una guitarra
Y en la gravitación de la llanura
Que desde lejos nuestra sangre siente
Como el britano el mar y en los piadosos
Símbolos y jarrones de una bóveda
Y en el rendido amor de los jazmines
Y en la plata de un marco y en el suave
Roce de la caoba silenciosa
Y en sabores de carnes y de frutas
Y en la bandera casi azul y blanca
De un cuartel y en historia desganadas

De cuchillo y de esquina y en las tardes
Iguales que se apagan y nos dejan
Y en la vaga memoria complacida
De patios con esclavos que llevaban
El nombre de sus amos y en las pobres
Hojas de aquellos libros para ciegos
Que el fuego dispersó y en la caída
De las épicas lluvias de setiembre
Que nadie olvidará, pero estas cosas
Son apenas tus modos y tus símbolos.

Eres más que tu largo territorio
Y que los días de tu largo tiempo,
Eres más que la suma inconcebible
De tus generaciones. No sabemos
Cómo eres para Dios en el viviente
Seno de los eternos arquetipos,
Pero por ese rostro vislumbrado
Vivimos y morimos y anhelamos,
¡Oh inseparable y misteriosa patria!

De *El Hacedor*

JORGE LUIS BORGES

Nació en Buenos Aires en 1899. En España se adhirió al movimiento ultraísta, que introdujo en nuestro país. Fundó la revista "Proa", con otros destacados escritores. En 1923 publicó su primer libro y a partir de entonces no cesa su vasta y rica obra literaria que comprende poesía, cuento, ensayo, por la que ha recibido premios nacionales e internacionales.

Algunos de los títulos más conocidos son "Fervor de Buenos Aires", "Evaristo Carriego", "Historia universal de la infamia", "El Aleph". Durante dieciocho años fue director de la Biblioteca Nacional. Actualmente es miembro de la Academia Argentina de Letras.

AMBITO JUJEÑO

El paisaje de Jujuy es definido y variado. El sur, llano y veraz, pródigo de calor, permite el cultivo de la caña de azúcar, del arroz, de todos los cultivos del subtrópico. La zona central, abarcada por la quebrada de Humahuaca, tajo geológico de hermosura increíble, anualmente, registra el más alto porcentaje de luz solar del país.

Y finalmente, al norte, está la Puna, la meseta árida, que se alza como una copa de sal y de silencio...

Jorge Calvetti

Revista "La Nación", 1966

IMPRESION

María Laura Oyuela de Pemberton

Jujuy, del sol violento
de las aristas recias contra el cielo;

Jujuy, verde y salvaje
misterio.

Arcilla áspera y ocre
que alisa el viento,
lluvia como castigo
sobre los techos,
estrépito del río
que baja del cerro.

Jujuy bravío,
mediodía, torrente,
rugido, fuego.

De *"Cantos para Jujuy"*

MARIA LAURA OYUELA DE PEMBERTON

Docente, se desempeñó como profesora de Literatura y
directora de la Escuela Provincial de Artes Plásticas de
Jujuy.
Publicó su obra poética en diarios y revistas de su provincia y de la Capital Federal.

EL VILLANCICO EN AMERICA

Rafael Jijena Sánchez

El primor del villancico es parte de la más auténtica y pura tradición hispana. Un inmenso coro de voces claras lo entona para diciembre y todo el ámbito de América junto a los pesebres familiares y al compás de los más variados instrumentos. Y tiene esto de curioso: mientras otras especies líricas sufren sustancialmente con el trasplante a tierra americana, ésta, sostenida paradójicamente por los más débiles, los niños en particular, se conserva casi intacta en sus letras y en sus músicas.

. . . .

Por lo que hace al villancico criollo, escaso como invención pero no menos bello que el tradicional, vaya aquí una muestra argentina dechado de ternura y poesía.

HUACHI, TORITO

Huachi, huachi, mi torito,
torito del portalón,
mira mira, y allá arriba
lo verás al Niño Dios,
vestido de velo blanco,
camisita, de algodón,
con su coronita de oro,
reluciente igual que el sol.
Huachi, huachi, mi torito,
torito del portalón,
mira mira, y allá arriba
lo verás al Niño Dios;
echado sobre las pajas
nos anuncia el gran perdón
con sus manitas tendidas,
dándonos su bendición.

De *"La alforja del peregrino"*

RAFAEL JIJENA SANCHEZ

Nació en San Miguel de Tucumán en 1904. Se dedicó especialmente a la investigación del folklore argentino y americano. Como creador, cultivó la poesía y su obra "Achalay" mereció el 1er. Premio Municipal de la ciudad de Buenos Aires en 1929. Falleció en 1977.

ENTIERRO DEL CARNAVAL

José Armanini

La comparsa quijotesca va ascendiendo por el caminito viboreante que se desliza por la falda del cerro más cercano, en dirección a la apacheta legendaria del pueblo colonial. Una policromía de vivos colores invade a la superficie gris del monte ovalado.

La postrer algazara de Momo se hace sentir en los habitantes del suelo montañés, en medio de la música de "charangos" y "cajas", y de las canciones de los jóvenes 'imillas" cuyas vocecitas tiples más bien parecen un llanto inconsolable entre la entusiasta algarabía.

Ha finalizado una vez más el lapso más feliz en el año de esta gente humilde del altiplano jujeño, en busca de las carnestolendas, la compensación de un desahogo relativo a los desastrosos sufrimientos y privaciones de que han sido objeto durante el año interminable.

Dos "cacharpayas" encabezan el acompañamiento de duelo, en el que el sentimiento doloroso de la alegría agonizante se manifiesta en los trágicos destellos de una mueca.

Los atavíos estrenados por hombres y mujeres en el "jueves compadre", los pantalones grises de "barracán", las polleras arrepolladas de "picote" azul y rojo, los sombreros alones en cuyas cintas están todavía agarrados los vestigios secos de los manojos de albahacas y flores de maíz, ha sido tan formidable y rotundo, que hasta la más insignificante prenda de vestir ha quedado en un estado calamitoso como consecuencia de la enorme cantidad de harina, papel picado, vino, chicha que se han tirado unos a los otros en cada demostración de afecto.

El sol se va hundiendo tras de los inmensos murallones de la cadena cordillerana y deja que las sombras de la oración surjan de las abras y valles, plasmándose en las superficies de los cerros cortados a pique, como una cortina que se levanta lentamente.

Uno de los "cacharpayas" lleva una alforja repleta de coca y pan, y, a medida que camina, hace mojigangas y contorsiones.

Llegan a la cumbre del cerro; todos rodean a la apacheta milenaria. Los "charangos" resuenan con mayor frenesí en el postrer "huainito" que comienzan a bailar en la superficie ripiosa. Una cholita de tez tostada y facciones bellas cuyos ojos dormidos denotan el cansancio y los efectos de los brebajes de la larga parranda, hace resaltar su voz en la reacción desenfrenada que precede a la ceremonia del entierro.

Pasar el río quisiera
sin que me sienta la arena.
Ponerle grillos al diablo
y a la muerte la cadena.

Ya te vas carnaval,
ya no te veré;
Hasta el año que viene
te esperaré.

De pronto el centenar de personas queda en un absoluto silencio obedeciendo a la señal de un "cacharpaya". Se adelantan dos o tres de los circunstantes que han acudido con picos y palas, y proceden a excavar una fosa de prudenciales dimensiones. Cuando ésta llegó a cierta profundidad, los "cacharpayas" ordenaron que cesara el trabajo, y, despojándose de sus absurdos disfraces, las casacas de plumas, los casquetes de cartón fabricados por ellos mismos, etc., hacen con todo un envoltorio, lo depositan en el fondo obscuro de la fosa juntamente con la alforja de coca y pan, como si se tratara del cadáver de un ser humano. Los rituales van adquiriendo mayor solemnidad en el natural escenario abrupto a medida que se efectúan. Los feligreses practicantes del ignaro loco culto, se posesionan poco a poco, cada vez más, con fanática creencia, de la ceremonia grotesca. Algunos hombres se acercan sigilosamente tamborileando sus "cajas", y, como si el pasar por delante de la fosa fuera el corte definitivo de las fiestas de carnaval, depositan en ella la prenda musical que les dispensó tanta felicidad en el marco reducido de la clase humilde, con la dolorosa visión del porvenir funesto que se presenta inmutable en la desolada región árida. Luego arrojan un puñado de tierra sobre los instrumentos amontonados en el fondo del agujero como postrer expresión manifiesta de la sentida despedida de Momo, y se agrupan discretamente para retornar a las querencias que los cobijará siempre a pesar de su pobreza.

Dada la sepultura de práctica, la caravana se cierra en masa alrededor de la apacheta impasible y de los "cacharpayas" tristes que ahora ostentan tan solo la inarmonía de los colorinches que se han aplicado en el rostro como complemento del disfraz original, y, siguiendo las modulaciones del ronco alarido de un "herquencho", entonan en coro, por última vez, el repertorio íntegro de las coplas de ocasión que habían repetido mil veces en el transcurso de los días agrestes.

> Ya te vas, carnaval,
> ya no te veré;
> hasta el año que viene
> te esperaré.

De "Relatos Jujeños"

JOSE ARMANINI

Nació en Jujuy en 1903 y falleció en 1980.
En 1927 editó su primer libro, "Relatos jujeños". Se destaca no sólo como hombre de letras, sino también como pintor y en sus cuadros vibra la misma emoción del paisaje que está presente en su obra literaria: "La Virgen de Punta Corral", "A Jujuy", "Panta Vilca".

LA QUEBRADA

Raúl Galán

La campana del río, alucinada
(milagro de celeste brujería),
borracha de misterio al cielo envía
sus ángeles rubios en bandada.

Ved cómo resplandece la quebrada,
prodigio de perfecta artesanía,
ved cómo se esforzó la geografía
por dejar de ser tierra inanimada.

Los cerros, en ceñida arquitectura
sostienen el azul artesanado
para el sueño cabal de la criatura.

Por aquí, pasó Dios enamorado
Lo dice el ademán y la figura
de este viejo cardón arrodillado.

De *"El teatro del asombro"*

RAUL GALAN

Ejerció el periodismo y se dedicó a la docencia, como
profesor de Literatura. Ocupó cargos importantes: Director de la Biblioteca de la Universidad de Tucumán, Presi-
dente del Consejo de Educación de la provincia de Jujuy.
Entre sus libros de poesía figuran "Canto a Jujuy" y
"Huerto".

CANCIONERO POPULAR DE JUJUY

Los Cancioneros son compilaciones de coplas, romances, villancicos y otras producciones anónimas que documentan el folklore nacional. El Cancionero popular de Jujuy, publicado por la Universidad de Tucumán en 1935, es un fecundo trabajo de investigación de Juan Alfonso Carrizo, quien explica: "Inicié la búsqueda en la Quebrada y hallé mil quinientas coplas en cuatro meses".
Según su temática, las clasifica en Históricas, Religiosas, Locales, Sentenciosas, de Bailes, etc.

COPLAS

Así se amoldan los quesos
la cuajada en el cinchón *
de la leche sale el suero
y del suero el requesón.

Alojita de arroba
de la vainita amarilla
de las ramitas, la fruta
de las frutas, la semilla.

El pobre llora y se queja
porque no tiene ni un real
yo he visto llorar a ricos
¿Dónde estás felicidad?

Humahuaca, buena tierra
La Puna, para llorar
de la Quebrada de Antumpa
ni me quisiera acordar.

* El cinchón es una faja de totora y junco que sirve de molde para los quesos. (Nota del recopilador.)

JUAN ALFONSO CARRIZO

Nació en Catamarca en 1895.
Investigador, recorrió el noroeste argentino recogiendo
coplas y canciones de esta zona.
Gracias a su dedicación se salvaron del olvido más de mil
cantares argentinos.

AMBITO NOROESTICO

La región noroéstica se extiende desde el flanco oriental de la Cordillera de los Andes hasta confundirse con la puna jujeña por el norte y con los llanos riojanos por el sur, en tanto que hacia levante llega a enmarañarse con el monte de Salta, Tucumán y Santiago del Estero. Señorea la montaña en el paisaje.

....

Cursos accesibles, valles y quebradas, cuestas y mesetas dan variedad de formas y atrayentes perspectivas. Los valles predominan y enmarcan la vida más densa, así los Calchaquíes, el de Catamarca entre las sierras de Ambato y de Ancastina y los riojanos de Vinchina y Famatina determinados por cerros homónimos.

Augusto R. Cortázar

Obra citada

AUGUSTO RAUL CORTAZAR

Escritor, bibliófilo y antropólogo, nacido en Salta en 1910 y muerto en Buenos Aires en 1974. Abogado, doctor en Filosofía y Letras, nunca ejerció la primera profesión, dedicándose primeramente a la literatura y luego a la ciencia del folklore. Se desempeñó como miembro del Consejo Directivo de la Universidad de Buenos Aires, como integrante del Fondo Nacional de las Artes y como miembro de la Academia Nacional de Historia.

Entre sus ensayos destacamos "¿Qué es el folklore?", "Literatura y folklore", "Martín Fierro a la luz de la ciencia folklórica".

En Augusto Raúl Cortazar se unían armónicamente la personalidad del erudito, del maestro y del hombre ejemplar.

Salta

LOS COYUYOS

Manuel Castilla

Yo estoy aquí, plantado en medio del verano, oyéndolos
Me llegan a la sangre por el árbol que besan aserrándolo
y por la luz sin paz y torturada
que cae sin parar desde su canto.

Yo estoy aquí, bebiéndolos, gozoso.
A esta hora el monte suelta bultos agazapados
y las huellas regresan con jinetes melancólicos.

Estoy entre algarrobos y membrillos
de arenosos corazones cavados por su música,
ahora que llega el tiempo de las siestas ardientes
y que el aire se raya de fuego en las avispas.

Yo estoy aquí, lejanamente solo. Oyéndolos,
y nombrando las cosas de mi tierra
por las que me apasiono y me entristezco.
Digo que ellos vinieron a madurar las frutas,
digo que ellos se beben la savia y que la cantan
y que todo este día luminoso en que yazgo
es una fruta inmensa y dulce en medio del océano.

MANUEL CASTILLA

> Nació en Salta en 1918 y murió en 1980, en la capital de
> esta provincia. Obtuvo importantes premios por su obra
> poética que refleja la visión personal del paisaje norteño
> y de sus pobladores. De su producción literaria se des-
> tacan "Agua de lluvia", "El cielo lejos", "Andenes al
> ocaso".

COPLAS DE CARNAVAL

José Ríos

Yo lo he visto al carnaval
caja en mano por el monte
cantar alto sus bagualas
pa que oigan sus guardamontes.

En la savia de las viñas
se ha escondido el carnaval
para ayudarle a las uvas
desde adentro a madurar.

La baguala es carnaval
este tiempo en cada boca
y se vuelve sentimiento
cuando una caja se toca.

Las coplas del carnaval
son unas lentas bagualas
que las bailan los pañuelos
carpa adentro con sus alas.

Paisaje frutal y abierto
entre los cerros celestes
Cafayate río abajo
entre la arena se pierde.

Otra vez para febrero
tengo ganas de cantar
no seré cantor de oficio
pero algo puedo entonar.

Lloran penas los coyuyos
los poetas cantan sus trovas
y en las tinajas del valle
fermentan las algarrobas.

Caballo bien enseñado
no necesita rebenque
solito se ha de arrimar
con su jinete al palenque.

De *Coplas de carnaval*

JOSE RIOS

Nació en Salta en 1926. Es autor de obras poéticas como
"Coplas de carnaval", "Los días ausentes" y "Cafayate y
otros temas".

LOS CAZADORES DE CHINCHILLAS

de *Juan Carlos Dávalos*

Serían las doce cuando el Presbiterio llegó al abra de Lampazo.

Por guapa que fuese —y lo era de verdad— la mula en que venía montado, el pobre animal agotado por el larguísimo repecho, comenzaba a aflojar y los ijares le temblaban de cansancio. Por eso el jinete, desviándose un buen trecho de la senda, fue a guarecerse al pie de una barranca, en una especie de gruta donde a la vez que se ocultaba y defendía del viento, se echaría a descansar. Finalizaba el mes de julio y hacía un frío tremendo, a pesar del solazo.

¿Por qué razón no deseaba ser visto nuestro viajero, ni por los guanacos en aquellos enormes páramos, tan raramente frecuentados? No sólo porque venía en peliaguda misión policíaca y armado a rémington, sino porque siendo el Presbiterio un calchaquí auténtico, tenía, como el zorro de las punas, el hábito de esquivar el bulto a toda pupila viviente. Ver sin dejarse ver, es la primera conquista de la inteligencia sobre la fuerza; y el hombre allá en el alba prehistórica, siendo un bicho débil y astuto, pudo aprender muy pronto, de otras especies, el arte de pasar inadvertido.

En cuanto la mula descansó un rato, el jinete, con reflexiva calma, se aplicó a quitarle el apero dejándole puesto un jergón para que no se resintiese del lomo. Quitóle también el freno, le dejó la jáquima en reemplazo de la cabezada y la llevó a beber en un ciénago helado que no lejos de allí se veía y en el que el pobre animal sediento, más que beber trituró la escarcha y lamió la tierra húmeda. Y allí, quedó junto al manchón de iros verdes, atada a una mata de tola, mordisqueando en los brotes tiernos.

Tornó el hombre a su real, y con las prendas del apero se hizo una cama, extendiendo caronas, jergones y pellones sobre el blando médano rojo.

Sintió necesidad de echar al buche algún alimento caliente y en pocos minutos armó un fogón con "cuerno de cabra" y puso a hervir un tulpo y a calentar agua en la pava, para un mate cocido. Recogió algunas piedras y para resguardar el fuego contra el viento demasiado fuerte, pircó una pared enana en un santiamén; así no se le gastaban las brasas destinadas al asado.

Sentóse en cuclillas junto al rémington; aseguró entre dos piedras el barrilito del agua potable y comenzó a sacar una por una, de las alforjas, las bolsitas que contenían el avío. Las alforjas eran una despensa mágica. Contenían, sal, azúcar, yerba, habas secas, harina de maíz tostado, un quesito de cabra y un par de bollos de trigo que con la sequedad habíanse puesto duros como de roble. De las alforjas habían salido la ollita de tulpo, la pava y un jarro. Contenían, además, bien amarradas en un lienzo, cuatro onzas de coca en sendos paquetes: preciosa reserva, para ir cada día proveyendo la "chuspa". Y luego, además, las gollorías: un trozo de lechiguana, colmena exquisita que enjambra en los viñedos y cuyos finos panales de cartón gris se mastican y se ingieren junto con la miel de que están colmados. Escondían también las alforjas, bien liado en un lienzo, un porrón de aguardiente, alcohol del valle que al paladearlo, cuando aprieta el frío, incorpora a la sangre el fuego del tata sol, y pone en el paladar y en las narices el dejo dulce de la uva moscatel. Demás está añadir que a los tientos había traído nuestro hombre, además del lazo, medio costillar de cordero para írselo comiendo asadito a las brasas.

Tampoco en indumentaria quedábase corto el viajero. Calzaba un grueso par de escarpines y traía de repuesto, bajo los pellones, a más del poncho, un pullo calamaco que valía, él solo, por un par de frazadas. Vestía chaqueta y calzones de barracán, una boa de vicuña envuelta al cuello. Un sombrero blanco, ovejuno, de industria vallista le sombreaba el rostro impasible, lampiño, tostado por la intemperie de los Andes. Para evitar la vislumbre hiriente de la nieve en los ojos, llevaba puestas unas antiparras.

Llamábase nuestro viajero, Presbiterio Quispe, era arrendero de Tacuil y ejercía, por mandato del patrón, el militante oficio de celador del cerro. Tal era el título de su cargo que desde luengos años, tuvo siempre por objeto custodiar el límite occidental de la estancia. Por aquella parte, linda Tacuil con la gobernación de los Andes, vecindad molesta, cuando no peligrosa, pues con frecuencia la finca suele ser invadida por malandrines que, rechazados por la comisaría del territorio, se dedican al cateo de minerales o a la cacería furtiva de vicuñas y chinchillas.

El celador del cerro venía esta vez en misión concreta y ardua.

Proponíase comprobar la veracidad de una noticia que llegara la noche anterior a su arriendo del valle. Un traficante puneño, de Antofalla, que pasó rumbo a Molinos habíale contado de unos individuos que viera a lo lejos, armados a winchester, en las faldas del Cerro Blanco, por el costado que pertenece a Tacuil. Justamente alarmado, el celador se dispuso a marchar en seguida, y mandó a su mujer que le acomodase el avío, mientras él ensillaba la mula. Después de medianoche comenzó a remontarse cordillera adentro. Ahora se hallaba a cuatro mil metros sobre el nivel del mar, en el abra de Lampazo, no lejos del Cerro Blanco, cuyas nevadas crestas se yerguen a cerca de seis mil metros, destacando sus contornos ásperos sobre un cielo profundamente azul.

Tenía bien presente, el Presbiterio, las instrucciones de su patrón:

—Si usted halla cazadores en la estancia —le había dicho—, les advierte que están en terreno vedado y los intima a salir de mis campos, previo decomiso de las pieles que lleven consigo. Si no le obedecen, avisa usted a los otros arrenderos y proceden por la fuerza. Ya sabe usted que la caza de guanacos, vicuñas y chinchillas, está prohibida bajo severas penas, por el gobierno de la nación.

II

Y he aquí que mientras el celador, acabado el almuerzo, tendióse a sestear, rendido por el cansancio, dos indios catamarqueños de Santa María, iban llegando a pie enjuto a la zona de las nieves eternas por entre las escarpas del Cerro Blanco. El día anterior, muy de mañana habían emprendido la ascensión del monte, dejando previamente sus mulas escondidas en una abrigada vega. Como les viniera haciendo un tiempo hermoso desde días atrás y como no vieran señales de gente por el lado de Tacuil, habían resuelto, después de cazar vicuñas, aventurarse en busca de chinchillas. Tanto días así, despejados en pleno invierno, son un fenómeno excepcional en la cordillera andina. Por aquella época las bravías montañas son teatro, cada tarde, de copiosas nevadas y tempestades eléctricas que se arman y se desarman por la acción encontrada de los vientos. A tales altitudes el termómetro salta del cero a los quince o veinte grados negativos, en pocos minutos, según la dirección que trae el huracán, más o menos saturado de agua. La atmósfera es, por lo común, tan seca, que el poncho del viajero se convierte allí en depósito de electricidad estática que suelta chispas detonantes al menor roce. Otro efecto de la sequedad es que allí nunca llueve, pues la humedad de las nubes, al precipitarse, pasa de golpe al estado sólido y se condensan en estrellitas de hielo. Semejantes condiciones climáticas apenas permiten el desarrollo, más allá de los cuatro mil metros, de una fauna subterránea que son las chinchillas, y de una flora rampante, cuyas raíces, profundamente hundidas bajo el hielo, constituyen el principal alimento de los preciosos roedores.

Aquellos dos hombres, padre e hijo, vinieron de su lejano valle, en busca, al parecer, de sal, arreando una tropilla de burros. Cortaron a golpes de hacha, en la salina, un cargamento para sus bestias; pero no habían subido desprevenidos a la altiplanicie y traían además un winchester, con el que cobraron algunas piezas en los pasteaderos orientales del Cerro Blanco. Vino con ellos un peoncito, que a la sazón quedara cuidando la tropilla, la sal, las pieles y la carne de las vicuñas, en tanto que sus patrones escalaban la montaña llevando a cuestas un hurón amaestrado. El indio más joven subía cargando a la espalda un saco cilíndrico de cuero, que era la jaula del hurón. Los dos hombres iban totalmente forrados de pies a cabeza con sus prendas de lana y tenían puestas las antiparras y el chulo.

Subían despacio, echando los bofes a causa de la puna y del frío, y se afirmaban para evitar resbalones en unos cayados altos de pala de arca.

Hacia media tarde llegaron por fin a un campichuelo próximo a la cima, desprovisto a trechos de hielo y salpicado de ásperas rocas, donde encontraron las primeras chinchillas. Las vieron retozando al calorcito del sol y brincando a saltos cortos de peña en peña. Varias de ellas, erguidas sobre sus cuartos traseros, masticaban raicillas sosteniendo graciosamente el alimento a dos manos. Pero no bien los tímidos roedores notaron la presencia de los indios desaparecieron en sus madrigueras. Inmediatamente el hurón fue largado por una cueva, en tanto que los hombres, requiriendo sus ponchos, comenzaron a dar golpazos a los animalitos que salían chillando, desconcertados. El maldito hurón había sido tan bien enseñado —primero con ratones y después con choschoris— que cobraba la pieza bajo tierra, y la sacaba a luz sin estropear mayormente las admirables pieles.

La chinchilla real es un bicho frágil como una flor. Bajo su finísimo pelaje gris plateado se tocan, al cogerla, los delicados huesecillos. Se comprende, al palparla, que toda la energía vital del animalito se concentra en la piel, de incomparable suavidad. Esta piel es eficaz defensa contra el frío de las cumbres; como lo son, contra la rapacidad del hombre y del zorro, sus enemigos, las estrechas madrigueras, la altura casi inaccesible, los vientos furiosos y las nieves eternas. Pero la codicia de los hombres no tiene límites; y aquel día no cesó la matanza sino cuando los corazones, fatigados por el soroche, estuvieron a punto de pararse, y cuando los dedos y las narices, congelados por el viento que arreciaba, empezaron a dolerles con ardor de quemaduras. Sólo entonces, medio desfallecientes, contaron su riqueza con ojos ávidos; habían pillado tres docenas de chinchillas reales. Un negocio estupendo, una verdadera fortuna para los santamarianos, que acababan de ganarse, arriesgando la vida, unos cuatro mil pesos nacionales.

III

A la misma hora, el Presbiterio, caballero en su mula iba aproximándose al filo del abra, que por ser la línea de las altas cumbres era la divisoria de la estancia. Desde aquel punto le sería fácil abarcar de un vistazo varias leguas de pampa, que en suave plano inclinado se ensanchaba hacia el oeste. Por todo aquel rumbo, el horizonte se esfumaba en deslumbrantes espejismos blancos. Eran los salares y borateras de Ratones y Hombre Muerto, que contienen incalculables yacimientos de mineral jamás explotado.

Pero el celador del cerro guardóse bien de mostrarse todavía sobre el filo mismo del abra. Momentos antes, divisando hacia el rumbo opuesto, había algunos cóndores que planeaban a gran altura, por sobre las vegas de los Coloraos, en terreno de Tacuil. Aquellos piratas del aire le marcaban con precisión el campo donde los catamarqueños habían estado cazando; y allí descendían los cóndores, a disputar contra legiones de zorros hambrientos las entrañas de las reses faenadas el día anterior.

Empeñado en reconocer la verdadera posición de los cazadores, el Presbiterio echó pie a tierra y salió gateando al filo del abra. Sólo después de un rato de exploración alcanzó a distinguir el signo sospechoso: una humareda que a lo lejos, saliendo de entre unas rocas negras, denunciaba el campamento de los cuatreros. Aquellas rocas a flor de tierra, semejantes a un islote en medio de un mar helado, eran el único amparo que podía ofrecer la inmensa desolada altiplanicie. De entre ellas surgen los manantiales que forman el río de los Patos cuya corriente se pierde en los médanos, treinta leguas al sudeste.

Aunque las vicuñas fuesen cazadas en Tacuil, el real catamarqueño hallábase en territorio nacional de modo que el daño estaba hecho y burlada por esta vez la vigilancia del precavido celador. El cual, tendido en tierra boca abajo, comenzó a considerar despacio la situación. Pensó que si los intrusos mantenían el real era porque debían andar merodeando en el Cerro Blanco, inaccesible por el lado de la Puna, y sólo practicable por las quebradas que caen a Tacuil. Y como la senda a Cerro Blanco pasa precisamente por el abra de Lampazo, el Presbiterio, queriendo corroborar sus sospechas, caminó a pie varias cuadras por entre despeñaderos y no tardó en hallar el rastro de las dos mulas que habían ido, pero que todavía no habían vuelto.

—Estos no tardan —se dijo—, éstos han salido esta madrugada en busca de chinchillas. De chinchillas y no de vicuñas, porque no había rastro fresco de burros; pues si hubieran ido a cazar vicuñas habrían llevado la tropilla de asnos para traer cargadas las reses.

—Los burros han pasado ayer pal campamento

—añadió Quispe, acabando de confirmar sus presunciones ante un montón de estiércol ya medio seco.

¿Qué iba a hacer él solito, contra dos hombres armados?

Bajar al valle y traer refuerzos era un disparate, pues la mula se le cansaría del todo; y cuando él estuviese de vuelta con otros arrenderos, ya los malandrines, que le hallarían el rastro, habrían puesto pies en polvorosa.

No había, pues, más remedio que apechugar la situación tal como se presentaba; por lo que escondió nuevamente la mula en una quebrada, a trasmano del camino, y parapetándose entre unas rocas, se tendió de bruces con el arma lista, para vigilar la senda por donde esperaba ver aparecer de un momento a otro a los cuatreros.

Hundíase el sol entre obscuras nubes detrás de la enorme llanura blanca y un viento colosal arreciaba desde el oeste. Fue cuestión de pocos minutos: el horizonte se encapotó más y más, y comenzaron a rodar espesos nubarrones que con vertiginosa furia taparon la pampa, subieron hasta el abra y fueron a encallar contra los farallones nevados del Cerro Blanco. Casi en seguida se largó la nevada. Un rumor sordo, producido por los remolinos y la nieve chocando contra la montaña, llenó los ámbitos desiertos. El Presbiterio Quispe, conocedor de la cordillera, no se espantó. Buscó refugio al pie de un barranco donde el chubasco no castigaba y envuelto en su poncho, acurrucado en cuclillas, tiritando se dispuso a esperar. Con las primeras sombras de la noche disminuyó la violencia del huracán, y aunque seguía nevando, lo recio de la tormenta se había localizado, como siempre sobre las vertientes orientales del Cerro Blanco.

De los cazadores de chinchillas no tenía ya que ocuparse. Ya los dioses vengativos de la montaña habrían dado buena cuenta de ellos. Era lo que había ocurrido en otras ocasiones a los audaces invasores de esas cumbres pobladas de espectros blancos, aquellos monstruos informes, que sacuden con terrible violencia sus ponchos inmaculados al borde de horrendos despeñaderos, y silbando por las mil fauces del huracán sepultan en hielo eterno los cuerpos de los miserables hombres.

Había llegado el momento de obrar.

Puestas las antiparras y calado el chulo —pasamontaña— agobiado por el peso de su puyo, el celador del cerro emprendió a pie la marcha, derecho al sitio donde había visto el humo del real catamarqueño. Conocía de hito en hito la región. Aunque no viese el camino, tapado con la nieve, su instinto de orientación lo conducía con certeza increíble hacia las peñas negras.

De rato en rato un aletazo de viento y un turbión de nieve amenazaban con ahogarlo; pero el recio calchaquí, firme sobre sus piernas de algarrobo inclinaba el cuerpo y reanudaba la marcha, no sin haber apurado en cada tregua un sorbo de aguardiente. Y así llegó a las peñas negras donde halló al peoncito de los santamarianos hecho un ovillo. Se le arrimó, le tocó en el hombro; el otro alzó la cabeza y encontró frente a sus narices el cañón del rémington.

Al amparo de las rocas, en un sitio donde no caía nieve, ardía con vivas llamaradas el fogón de yareta.

—¿Ande están los cueros?

—Ahi'stán, señor.

—Y la carne, ¿dónde está?

—Ahi'stán señor; tapadita con los cueros.

—¿Y la tropilla de burros?

—A trasmano han quedado, en buen abrigo.

—Bueno —dijo el Presbiterio—: ¡los cueros y la carne son robaos!

—Así será, señor.

—Mañana temprano, si amanece despejao, me ayudáis a llevar todo pa Tacuil. Y vos también caís preso por cuatrero. Yo soy autoridá ¡soy el celador del cerro!

—Así será, señor.

—Y decime: ya tus patrones se habrán helao en el cerro, ¿No?

—¡Así nomás hai'star siendo, señor!

Y los dos enemigos, en la desolación de la pavorosa noche, se acurrucaron a dormir como dos hermanos junto al fogón de yareta.

De *"Los buscadores de oro"*

JUAN CARLOS DAVALOS

Nació en La Montaña, partido de San Lorenzo, provincia de Salta, en 1887.

A los quince años publicó su primer libro de versos.

Cumplidos los estudios secundarios inició la carrera de derecho en la Universidad de Buenos Aires. Abandonó sus estudios por su vocación literaria.

Ejerció la docencia en su ciudad natal, alternando su labor con la de escritor.

Fue miembro de la Academia Argentina de Letras.

Entre sus obras destacamos:

— Ensayos: Los Gauchos - La epopeya salteña.
— Poesías: Cantos agrestes - Cantos de la montaña.
— Cuentos y Narraciones: Salta - El viento blanco - Los casos del zorro - Los buscadores de oro y Relatos lugareños.

Murió en 1959.

Tucumán

LA ZAMBA SIN NOMBRE

Atahualpa Yupanqui

Bella es la zamba que no tiene nombre.
Esa que el viento en campo tucumano
sembró una tarde, como a noble grano
para el sueño quimérico del hombre.

Para que el claro amanecer se asombre
brotó en los surcos el acento ufano
y la zamba de amor, en criolla mano
tuvo un destino sin tener un nombre.

En Famaillá, y en Singuil y en Monteros,
vagando por paisanos derroteros
dijo a las chinas el amor del hombre.

Y mensajera de un afán profundo,
con su rasguido azul va por el mundo
la bella zamba que no tuvo nombre.

De *Guitarra*

ATAHUALPA YUPANQUI (HECTOR CHAVERO)

Nació en Campo de la Cruz, en el partido de Pergamino,
provincia de Buenos Aires, en 1908. A los veinte años
compuso sus primeras dos canciones: "Camino del indio" y "Nostalgia tucumana". En 1911 obtuvo el primer
premio en el concurso literario organizado por "Bellas
artes" de Tucumán, por su "Canción de la zafra".
Intérprete de sus canciones, las difundió en numerosos
conciertos en Europa y en Japón.
Entre sus publicaciones: "El Payador perseguido", "Canto
del viento", "Guitarra".

RELACIONES CON TUCUMAN

Nicandro Pereyra

Nicandro Pereyra, "caminante por tierras tucumanas", se deja penetrar por el paisaje. "¡Tucumán! ¡Tucumán! —Bandas de clara luz y sombra verde—", es la expresión poética de su amor a esa tierra.
"Relaciones con Tucumán", que cierra ese poemario, es un conjunto de coplas de las cuales hemos seleccionado algunas.

¡Tucumán, Tucumancito:
que no se queje la randa
ni el Mandolo ni el Tejar
ni la palomita blanca!

Aquella luz que relumbra
orillitas del Tejar
es Anamaría Toledo
tejiendo bajo el nogal.

¡Qué más quisiera la escarcha
sino randa en El Cercado:
casi garúa quebrada
semisueño deshojado!

En Ibatín va llorando
una palomita blanca
tiene las alas heridas
rocío de la mañana.

Anamaría Toledo
estrellita de El Cercado:
azúcar leve la randa,
Tucumán cristalizado.

Mi guitarra tiene sueño
la entretengo desde aquí:
de lejos le vengo hablando,
vengo diciendo Ibatín.

¡Qué lindo corren las aguas
del Mandolo y del Tejar:
van por el medio del verde
camino al cañaveral!

En mi canto hay una palta
y también cañaveral
y aunque yo no diga nada
también hay palo'i chalchal.

Es caña dulce mi canto
y también es arrayán:
desenamora, enamora,
casi se pone a llorar.

¡Tucumán, Tucumancito:
quereme que soy solito!

Ya me voy para Horcomolle
para el arroyo Las Cañas:
quiero juntar las piedritas,
me quiero mojar el alma.

Picaflor, colita verde,
que chupas la flor helada:
señorcito, no se duerma
en esa vara rosada.

Debajo de un horcomolle
me pongo a cantar bajito:
enfrente un durazno en flor
a mi lado un jilguerito.

Un celestino, un chingolo,
alguna pava del monte,
la vertiente, el chalchalero:
los cerritos de Horcomolle.

Ya me voy, ya me voy yendo
de Horcomolle y de Las Cañas
con un atado de sueños
con un manojo del alba.

De *"¡Tucumán! ¡Tucumán!*
Bandas de clara luz y sombra verde"

NICANDRO PEREYRA

Nació en Santiago del Estero en 1914, pero desde muy pequeño se radicó en Tucumán, provincia que siente como solar nativo.

Sus poemas aparecen incluidos en numerosas antologías, entre ellas: "Poesía argentina del siglo XX", Juan Carlos Ghiano, y "Poesía argentina contemporánea".

De su obra en verso mencionamos: "Poemas simples", "Coplas del cañaveral" y "Apuntes con rocío de Buenos Aires".

Catamarca

CUENTOS Y ESTAMPAS

Carlos Villafuerte

Inspirado en su provincia natal, Carlos Villafuerte ha publicado varias colecciones de cuentos, entre las que figura "Cuentos y estampas". Como dice León Benarós en el prólogo de esta obra: "Carlos Villafuerte penetró con ojo de enamorado y pureza de corazón en el mundo entrañable de su lar catamarqueño". Hemos seleccionado de esta obra un fragmento de un capítulo descriptivo titulado "Olores del campo" y un cuento: "El regalo".

OLORES DEL CAMPO

Un aire liviano y puro llega de las quebradas y trae el perfume de los alisos, de los molles, de las vertientes, de los helechos y recoge el alimento de los cardones, de las pichanillas, de las jarillas, de las breas y de las tuscas, de los alfalfares húmedos y de la tierra seca. Es un olor virginal, recién levantado al comenzar el día, que se aspira con fruición; es el olor a campo que hincha el pecho y da fuerzas para realizar hechos trascendentes en la vida campesina. Es, en el hacer de todos los días, lo que el hombre necesita para sentirse pegado a la tierra, al trabajo y sus frutos. Amaneceres con gotas de rocío y con ese olor a campo que dulcifica la vida.

A veces prevalece el olor de los yuyos silvestres y otras el del orujo que ha quedado en los alambiques y en los lagares caseros después que la uva ha entregado el jugo, como sangre derramada, bajo los pies desnudos del hombre. O es el olor fermentado de la fruta cocida en las pailas de cobre, donde se bate con el cucharón de madera para hacer jalea o arrope de higo; o es el aire empapado con la creciente pringosa de los ríos del cerro. Cada estación tiene sus olores característicos.

EL REGALO

Entre los talas y los algarrobos vagaba Pedrito con su honda lista y el ojo avizor. Pasaba la mayor parte del día cazando pajaritos. Las siestas asoleadas lo hallaban cruzando algún potrero o esperando a la sombra de un árbol que algún pájaro se posara en sus ramas. Allí estaba sentado a los pies de un algarrobo que combaba sus gajos hasta casi tocar el suelo. Las vainas amarillas se curvaban en el oro del sol. Un viento fresco que de tiempo en tiempo llegaba, movía apenas la copa sombrajosa.

Los padres de Pedrito, Esteban y Carmen, trabajaban: él de peón y ella lavando ropa para las casas pudientes del pueblo. Siempre se veía en los espinillos la ropa limpia tendida, blanca, donde el sol se precipitaba. Cuando seca, la levantaba y la planchaba y la llevaba al pueblo. Era una vida dura y de muchos sacrificios. Pero eran felices.

Pedrito, que contaba tan sólo ocho años, se había hecho a la vida solitaria. Cuando sus padres se alejaban del rancho por razones de trabajo, él se quedaba con el "Tigre", su perro, el compañero de todas las horas. De vez en cuando se encontraba con Néstor, el único amigo que tenía, cuando éste iba o regresaba de la escuela. El camino al pueblo pasaba por cerca del rancho.

Una mañana luminosa, llena de sol, con los cerros azules y un cielo plateado, volvía Pedrito a su casa, a mediodía, y traía atados a un pedazo de soga dos "urpilitas" y dos "cachilos" que había cazado. Se encontró con Néstor.

—¿Qué traes, Pedrito?

—Dos "urpilitas" y dos "cachilos".

—¿Para qué los cazas?

—A las palomas, para comerlas, y a los cachilos, para el gato.

—¿Esas son "palomitas de la Virgen"?

—Sí.

—Entonces no debes matarlas. Ni tampoco a los cachilos. Se va a enojar Dios.

—¿Por qué?

—El los hizo para que vuelen, para que salten de rama en rama en el bosque, para que nos despierten tempranito con sus cantos. Hoy la maestra nos dijo que los pájaros son la alegría del campo. ¿Qué harían los árboles sin pájaros?

—¿Y eso les dice la maestra?

—Sí, vos tendrías que ir a la escuela, vieras cuántas cosas nos dice...

—No me gusta estar encerrado, como si estuviera prisionero. Mejor me siento cuando camino por el campo con todo el sol en la cara.

—Es que puedes hacer las dos cosas. ¿Y tu papá no te dice nada porque no vas a la escuela?

—El se va a trabajar y vuelve muy tarde.

—¿Y tu mamá?

—Ella lava y después se va al pueblo. Yo me quedo solo con el Tigre.

Este encuentro y con un diálogo parecido se había repetido otras veces.

—Bueno, Pedrito, me voy. No mates más pájaros. Vení conmigo mañana a la escuela. ¿Quieres que te busque?

Pedrito no contestó. Se alejó lentamente con la cabeza agachada mirando el suelo, seguido por el Tigre. Se paró a la sombra de un árbol, miró lo que había matado y se quedó pensando. Tomó una paloma entre sus manos y, por primera vez, notó la seda del plumaje ceniciento. Acarició aquel cuerpecito, aún caliente, y contempló con tristeza la cabecita volcada hacia un costado, con los ojitos negros, sin brillo. Se sentó a la orilla del camino y miró con ternura a las dos palomas y a los cachilos. El perro se acercó moviendo la cola y él le puso la mano en la cabeza y después lo abrazó, diciendo:

¿Qué nos pasa, Tigre?

Se levantó, tomó los cuatro pájaros muertos, y los dejó suavemente a la sombra, tapados con hojas, y sobre ellas, colocó una penca espinuda, para que nadie las tocara. Y se alejó seguido por el perro.

Al otro día, Pedrito se levantó temprano, se lavó, se vistió con sus mejores ropas, ató al perro para que no lo siguiera y se fue al camino a esperarlo a Néstor, quien no tardó en aparecer con su guardapolvo blanco y su cartera de útiles a la espalda.

—¿Vienes conmigo, Pedrito?

—Sí, quiero saber lo que dice la maestra.

—¡Qué alegría! Vas a ser mi compañero. Nos vamos a sentar juntos, yo le voy a pedir a la maestra. ¡Verás qué buena es!

Pasaron algunos días y Pedrito se iba haciendo, poco a poco, al nuevo ambiente. Una mañana que regresaban juntos, Néstor le dijo, al separarse:

—Pedrito, hoy es mi cumpleaños. Mamá y papá me hacen una fiesta. Yo quiero que vengas vos también.

—¿Yo?

—Sí, Pedrito. No puedes faltar. Mamá y papá quieren conocerte. ¡Les hablé tanto de vos...!

—Es que no tengo...

—Como estás, estás bien. No faltes. Mirá que sos mi compañero de banco.

Pedrito volvió a la casa y encontró a la madre lavando.

—Mamá, Néstor me ha invitado para su cumpleaños.

—¡Pobre hijo! No tienes qué ponerte.

—No puedo faltar, mamá. Iré con lo que tengo, si no Néstor se enojará.

Esa tarde, Pedrito, con ropas gastadas pero limpias, botines viejos, lustrados y con un sombrero campesino de alas cortas caídas sobre los ojos, se presentó a lo de Néstor. Al ver la casa se detuvo y quedó parado sin animarse a tocar la puerta. Llegaron otros niños y Néstor, al salir, lo vio, y con la cara iluminada de alegría, le dijo:

—¡Pedrito! Entrá.

Pedrito, un poco avergonzado le tendió un pequeño paquete.

—Este es mi regalo.

Néstor lo abrió y apareció la gomera que usaba Pedrtio todos los días, para cazar pájaros.

—Pedrito, yo no sé usarla.

—No importa. Yo no la quiero más. No quiero matar más pájaros. Y no faltaré ni un solo día a la escuela.

—Pedrito, vení, mamá y papá quieren conocerte.

CARLOS VILLAFUERTE

Nació en la ciudad de Catamarca en 1907. Se graduó de maestro normal en su provincia y de doctor en odontología en Córdoba.

Desempeñó importantes cargos políticos en Catamarca. Colabora en diarios del interior y en "La Prensa" de la Capital Federal. Es actualmente miembro de la Academia Argentina de Letras. Entre sus obras mencionaremos: "Voces y costumbres de Catamarca", "La jaula vacía", "Siete estampas catamarqueñas" y "Cuentos y estampas".

La Rioja

LA MIRADA EN EL TIEMPO

Arturo Marasso

Esta obra está compuesta por treinta y dos capítulos en los que el autor evoca su tierra natal y episodios de su niñez y adolescencia. Hemos seleccionado un texto descriptivo y otro narrativo.

LAS QUEBRADAS Y LOS VALLES
(fragmento)

Desde las inaccesibles nieves de la cumbre el Famatina desciende hacia el sur en deprimido conglomerado de montañas, desde allí continúa alejado, en retiro de soledad de piedra. Un magnífico camino, obra reciente, recorre la cuesta, camino labrado en las laderas vertiginosas de empinados desfiladeros, donde en mi niñez acechaba en la nube el genio de las tormentas. Salimos de la maraña de olivos y de viñas, pasamos por torrenteras pedregosas, por callejas de abundantes nogales, de interminables huertas, y penetramos en el lecho del apresurado río. La sierra empieza a elevarse en un laberinto de peñascales y colinas. Las montañas forman una vasta hendidura. Ya el río queda abajo, en un abismo donde verdean, a veces, los álamos. Sinuoso el camino sube. En una saliente dominamos la extensión grandiosa de la quebrada. Cerros claros, rojos, oscuros, descienden a la profundidad inmensa; se juntan y se esquivan la cercanía y la distancia; a nuestro pie, casi verticalmente, queda el precipicio. Vamos ganando la altura de la cuesta. La roca de colorada arcilla vuelve el camino de color de rosa. Descendemos entre la confusión de cerros al alejado oeste, al cauce del Bermejo. Hemos traspuesto el Famatina; lo contemplamos desde el opuesto lado, con sus cimas nevadas, hacia el norte. El camino habla a la memoria, avanza por extensa llanura boscosa circundada de montañas. Al sur, donde resalta el curioso cerro Rajado, se dilatan los campos de Talampaya. ¡Los campos de Talampaya, soledosos y abstraidos en la secreta vida de la tierra! Están los verdes setos, alfalfares, rastrojos y huertas, a orilla del Bermejo, agua que copia picachos ruinosos. Va crecido y turbio el río en el lecho arenoso. Al contemplarlo nos invade una emoción antigua. Los ríos son sagrados. Al norte, en la limpidez del aire, descuella la cima nevada del Bonete. En la otra orilla penetran en los mogotes las fincas verdes sin temer el frío. Empiezan allí las estribaciones —entre colinas— de las dilatadas sierras de Umango hacia los hielos de la Cordillera.

JUEGOS

(fragmento)

Los grandes volantines, cometas, barriletes, de papeles de colores, ornados con lucientes colas y con flecos, se estremecían con impaciencia; los había tan altos que tenía que levantarme en las puntas de los pies para tocar el extremo de lanza de su caña mayor, los hacían volar muchachos que me parecían gigantes, les daban hilos de gruesos carreteles que giraban como husos, bramaban en el viento, se daban vuelta y picaban el suelo, se alzaban, se empequeñecían en la altura; la cuerda aflojaba o se ponía tensa, el volantín pedía hilo; el viento de agosto los enloquecía en el espacio. Dándome a probar la fuerza del ave de papeles, me decían: "si lo tomas te levantará en el aire". Se les mandaba mensajes obedientes que subían por la cuerda. En el pueblo, espacio abierto, nada se oponía a su vuelo. Oía hablar de la pelea de volantines. Los hacían combatir en la altura. En el bolsillo llevábamos las bolillas. Las había de vidrio translúcido, como una esfera de agua congelada, de vidrio de interior coloreado con ramificaciones brillantes, grandes bolillones de cristal vistoso, bolillas de lúcida piedra. Admiraba ver cómo saltaban de las manos expertas para pegar a la bolilla enemiga, hacerla correr o romperla y quedarse después del golpe seco girando en el lugar que ocupaba la otra. Cuando me atrevía a entrar en el juego, el enemigo se apoderaba de mi tesoro con una rapidez vertiginosa. Las bolillas flamantes, orgullo de mis manos, pasaban al nuevo dueño. Nunca fui el primero en la carrera, en el trapecio, ni en el salto ni en el juego de volantines, de bolillas, del diábolo, del balero, en hacer trotar un asno ni un caballo, nunca llegué a compartir las hazañas de peligrosas correrías y de pugilatos. Sin embargo, ese era el mundo, ese mundo estaba lleno de victorias, de resonancias, de derrotas, de audacias. Allí se combatía, se ganaba; allí estaban los que fraguaban las diabluras, los que en la república infantil logran el asombro y el triunfo. Yo también iba con mi máscara en el bullicio del carro entrelazado de serpentinas o en la algazara de la calle. No había en mí el valor de mezclarme con grandes voces en la unanimidad del tumulto; me sentía como alejado y secretamente solo. También llevaba el balde con bombitas rojas, verdes, amarillas, henchidas de agua, la timidez me retraía, la soledad me ganaba. Tendría diez y siete años y estaba en el patio leyendo un respetable tomo, encuadernado con pasta, campo de batalla de la crítica y el humorismo enconado. El grupo carnavalesco multicolor y multiparlante de muchachos vestidos de diablos abrió la puerta preguntando por mí, las máscaras de fino alambre con seriedad enfática, de cartón rojo con lobanillos, de negros barnices, de bigotes, de barbas fantásticas y torcidos cuernos, me rodeaban y se reían, me invitaban a formar en la comparsa. Alguno me quitó el libro de las manos. Leía entre las carcajadas el título de la materia normativa. Se llevaban las manos a la cabeza, huyeron como espantados por temor de un maleficio. Quedé triste, medio herido, por el ridículo.

Iban a la escuela muchachos grandotes, llevaban ramas de ortiga con que rozaban el cuello de un alumno; pájaros en el bolsillo para liberarlos en clase; lagartos como cohetes; se desafiaban en los recreos, dándose feroces citas en el campo; dos de ellos pasaron por la acera de mi casa, yo jugaba, embobado, con un trompo flamante, blanco, con círculos rosados; se detuvieron e hicieron bailar sus trompos de grandes púas afiladas, los alzaban dormidos, por la ligereza con que giraban, en la uña, los pasaban por el dorso de la mano, los recogían en la palma, los soltaban en el suelo sin que se detuvieran. Me invitaron al juego. El mío huyó sin acertar, dando unas vueltas saltadoras. Perdí. Enterró uno de ellos su trompo ganador con la púa hacia afuera; ató el mío con el hilo, del que asiéndolo fuertemente con habilidad, seguro, lo estrelló en la púa de su trompo; dos pedazos blancos volaron por el aire. Se alejaron triunfantes. Estos muchachos alborotaban el grado. Aún en capitales, con la disciplina inexorable de la escuela, no escaseaba un huevo arrojado al pizarrón de madera pintado de negro, una descosida bolsita de harina que pasaba cerca de la cabeza del maestro como un cometa; una víbora muerta puesta entre los libros en el banco de un compañero tímido. Mientras la República hacía ingentes sacrificios por la educación, el "monito", el "diablillo", ese gracioso destruía en parte la obra, enseñaba los malos hábitos, a copiar las lecciones, a dictarlas, a faltar a clase, a engañar al maestro con discusiones y preguntas, en fin, a dispersar la atención y a burlarse del aplicado. Nos contaba sus fanfarronadas, se le envidiaba, era un caudillo, nunca se le probaban sus fechorías en el grado; los compañeros estaban dispuestos a perder el año antes que a descubrirlo; aunque oculto, no era, por suerte, libre su campo, el dominio moral de la escuela lo constreñía con freno de hierro. Ese niño o joven, desdichado, hace imposible toda obra seria en el aula, no siente inclinación por el estudio y logra a veces por malas vías, ocupar un lugar sobresaliente en la clase; lo ocupará después falsamente, por su pericia, en la vida pública, en la enseñanza, en la conducción de los hombres.

ARTURO MARASSO

Nació en Chilecito, La Rioja, en 1890. Se vinculó desde muy joven a las actividades docentes en la Facultad de Humanidades de la Universidad de La Plata. Estudioso de los clásicos, mostró siempre inclinación por la crítica erudita. Mereció, por su obra "Rubén Darío y su creación poética", el Premio Nacional de Literatura en 1937. En su producción literaria constan, entre otros títulos: "La mirada en el tiempo", "Joaquín V. González", "Paisajes y alegrías", "Poemas y coloquios".
Murió en 1970.

ROMANCE DE LA VIDALITA RIOJANA

Atahualpa Yupanqui

Sauces de Huaira-Roxina.
Callejón de Cochangasta.
Cualquiera senda es buena senda
cuando baja la vidala.
Retumban las cajas indias
del Pucará a La Quebrada.
La copla es una paloma
con un mensaje de gracia.
Con un suspiro de ausencia.
Con un adiós en las alas.

Dulce canción de mi tierra.
Ay, vidalita riojana.
Cómo me siguen tus coplas
entibiando mis nostalgias.
He de volver algún día
camino de Cochangasta.
Escucharé el tierno silbo
de las casuarinas altas.
Veré las viñas maduras.
Besaré tierra riojana.

En el aibar de las lomas
revolarán las calandrias.
El aire, jazmín y azahares
me hablará de Sanagasta.
Y cuando caiga la luna

besando la azul montaña,
me tenderé en las arenas
para llenarme de magia,
viendo pasar por la senda
la vidalita riojana.

De *"Guitarra"*

ATAHUALPA YUPANQUI

(Datos biográficos, ver página 42).

A UN CAMPESINO RIOJANO

José M. Paredes

Debió tener el alma como el campo
castigado por soles y sequías,
así como ese monte achaparrado,
erizado de espinas,
que solo se empinacha en Primavera
con la ofrenda mezquina
de algunos escasos ramilletes
de flores amarillas.

Empuñando la herramienta
con firmeza y baquía,
abrió el claro preciso para el rancho;
cortó horcones y vigas;
amasó paja y barro para el techo
y entretejió su quincha.

Las nubes que pasaban
arriba, muy arriba,
urgidas por el viento
de lejanía a lejanía,
lloviéronle ilusiones
y soñó con amelgas verdecidas
y con "pirguas" colmadas
por cosechas opimas.

La pequeña represa
cavó con afán en muchos días
y no era más que el cuenco de sus manos
agigantado, que al cielo se ofrecía
en espera anhelosa,
por la sed de la tierra y de su vida.

Cuanto más le cercaba la pobreza
la fe era más viva.
Plantado como un tala en el paisaje
aferrado a su tierra tan querida,
fue poniéndole el tiempo
en sus magras mejillas,
los signos de la angustia y el cansancio
y en sus cabellos hebras de ceniza.

. . . .

De *"Tras la voz, la tierra"*

JOSE PAREDES

Nació en La Rioja. Su obra se inspira en la tierra natal:
"Rioja de mi canto" y "Tras la voz, la tierra".

AMBITO CUYANO

*Las Tres Marías del cielo
ya no se nombran así;
el Señor las Nombra ahora
San Juan, Mendoza y San Luis.*

**Alfredo Bufano
De "Presencia de Cuyo"**

Mendoza

RONRONEO EN LA CORDILLERA DE LOS ANDES

Abelardo Arias

Las heladas del otoño y el comienzo del invierno han transformado el casi verde negruzco de las alamedas y viñedos de Chacras de Coria, en marrón. El paisaje, que en verano se subleva y despega de la tierra una euforia de tonos verdes, ahora se pliega y adapta a su aspereza.

Tuerce el tren hacia el oeste y comienza a trepar dificultosamente por una zona desierta, jalonada, de vez en cuando, por álamos, que rectos, anuncian la presencia del hombre. Más allá, y cuando las montañas comienzan a acercarse como si quisieran atraparnos, surgen los edificios de una fábrica de hidrocarburos; luego las centrales eléctricas. En la otra orilla del río Mendoza, con altas y ripiosas barrancas que el agua carcome y derrumba continuamente, el sol comienza a teñir de rojo los tanques plateados de Yacimientos Petrolíferos Fiscales.

Con su trocha angosta, el tren aparece aún más diminuto en la desmesura del paisaje. Sin posibilidad de perspectiva, por la cercanía, la precordillera nos oculta la Cordillera. Abruma esta constante sensación de sólida y alzada grandeza; a diferencia de lo que ocurre con el mar, cuya líquida imponencia parece más a nuestra altura. La impresión de soledad, de humana pequeñez, me incita a recostar la cabeza contra el cristal de la ventanilla para sentir, en la piel, el contacto de algo hecho por el hombre. Necesitaría una mano ovillada en la mía.

. . . .

El valle se ha convertido en una garganta. Los cerros van cobrando aristas más netas, tal como el recuerdo las descubre en la cara de la persona amada. Brillan al sol las rocas minerales; me brota dulce nostalgia por esas clases de mineralogía y geología que ahora me ayudarían a saber lo que estoy gustando estéticamente. Ya es irremediable: la vida se reduce a elegir.

De pronto, tal como si el trencillo encontrara la caja de resonancia de su guitarra, crece el ruido de la marcha: está saltando el río por un puente de muy airoso arco, que acaso resulta más grácil en medio de la agresividad de este paisaje; conjunción chocante y, sin embargo, profunda de sentido como pudiera serlo una palabra áspera dicha en mitad de un rapto de amor. Más allá, como un solo mango que encabara a cientos de puñales, el Cordón del Plata encaja en el cielo azul una larga serie de picos nevados. Sobre ellos, las nubes permanecen estáticas; conscientes de estar allí, con su leve geografía de algodón y encaje, componiendo el motivo necesario para unir cobalto y nieve.

. . . .

"La Nación", 1959

ABELARDO ARIAS

Nació en Córdoba en 1918. Se destaca como novelista. Entre sus obras figuran "Alamos talados", "Límite de clase", "Minotauroamor". De sus viajes por Europa quedan Impresiones en "París - Roma, de lo visto y lo tocado", "De lo tocado a lo gustado". Es colaborador de "La Nación" y otros diarios argentinos.

CRECIENTE

Alfredo Bufano

Lento bajaba el río como siempre,
entre sauces, arabias y jarrillas.

La tarde estaba quieta en las montañas,
azul y quietas, como adormecidas.

Mas poco a poco, grandes nubes negras
de las cumbres, fantásticas surgían;
se abalanzaban por el cielo claro
como una loca y trágica tropilla;
y sobre el monte cárdeno y los árboles,
torva zalea entretejiendo iban.

Rompió el trueno montés su gran matraca
contra la cordillera anochecida;
y el relámpago abrió su rosa inmensa,
roja, morada, verde y amarilla.

Rompió a llover. Rompió a llover en forma,
que el cielo con la tierra se perdían.

El sonoro Diamante fue creciendo,
y al rato era una sierpe enloquecida
que iba hinchando su lomo tenebroso
hasta romper, bramando, las orillas.

Sobre las turbias, sollozantes aguas,
como si fueran deleznables briznas,
boyaban algarrobos y chañares,
matas de jume, zampas, altamisas,
sauces, álamos, troncos y resacas,
cabras serreras, vacas montesinas,
y cuando halló al pasar la rauda boa
que de la cumbre al llano se extendía.
Pasó el instante de terror. Ahora
como una agreste y dulce margarita,
sobre el cuadro cerril recién pintado
la clara estrella de la tarde brilla.

De *"Valle de la Soledad"*

ALFREDO R. BUFANO

Nació en Mendoza en 1895 y murió en San Rafael en 1950.
Muy joven se traslada a Buenos Aires donde se incorpora
al movimiento cultural del momento. Por razones de salud
regresa a Mendoza. Allí ejerce la docencia y compone
la mayor parte de su obra literaria. Escribe numerosas
obras en prosa y verso. Pueden citarse, entre otras, "Canciones de mi casa", "Romancero", "Poemas para los niños de las ciudades", "Poemas de tierras puntanas",
"Mendoza, la de mi canto".

EL LADRON DE SANDIAS

Juan Draghi Lucero

Cogolludo, mozo ladino y vueltero de las Lagunas, vivía solito en su apartado rancho y nadita que le faltaba para gozar de buena y descansada vida, porque, aparte de los quirquinchos que cazaba y de los huevos de avestruz que sabía hallar, se munía de otras comidas y tentaciones. El tenía sus escondidas habilidades para darles su media vueltita a las cosas y acomodarlas a su conveniencia y, en tratándose de sandías, les sacaba doble y novedoso provecho.

Nunca se vio a su rancho adornado con los verdores de una huerta. Jamás cavó una acequia ni ahondó un desagüe. —Que la suden otros —decía.

Lo cierto es que le gustaba ¡y mucho! comer frescas y bien sazonadas sandías y que las despachaba a su manera.

En vez de partirlas como todo cristiano lo hace, les abría un agujerito por donde les entraba un alambre retorcido, al que daba vueltas de tal manera que convertía en agua azucarada y gustosa a todo lo que el fruto contenía, y se solazaba en arrimarles los labios y chuparlas hasta dejarlas bien secas y sin semillas. Luego tapaba ese agujerito con sebo y arrojaba las cáscaras a la laguna, y era su gusto y contento el verlas boyar no lejos de su rancho. —Quien siembra: cosecha —decía— ganoso de caza al verlas vagar al son del vientito entre los patos silvestres que asentaban en esas aquietadas aguas.

—Caso de *almiración* es —gruñía el desabrido decurión— que se hable de siembras y cosechas, cuando todo el mundo sabe que no siembra ni una semillita de ají y, en cuanto a las cosechas ¡cómo no sean las ajenas!... Y para probanza de lo que digo se ven, justamente en las vecindades de su precioso rancho, docenas de sandías dando *güeltitas*.

—¿Y qué culpa cargo yo que las creces del río San Juan se traigan los sandiales sanjuaninos y, por gala, anclen a mi *vecindá*? A lo mejor es un manejo *pa* dejarme mal con la *autoridá* y hacerme pasar por lo que no soy ni seré nunca en jamás de los jamases de mi revinagre vida.

—Lo cierto es —admitió el desconfiado decurión— que nunca por nunca se lo ha podido pillar en el justo momento y en la precisa ocasión de robar una sandía, pero se me hace que los ardiles más finos, delgaditos y bien hilvanados, se le pueden dar *güeltas*. ¡Tenga cuidado! porque doña Garabina —y acarició a la tonante arma policial— anda con ganitas de cobrarse pasadas y presentes burlas y yo ¡soy de los de *güelta* y media! y no me enredan los de medias *güeltas* por más *güelteros* que sean... Uh, ¡carámpano con la cosa!

—Yo —proclamó Cogolludo golpeándose retumbosamente el honrado pecho— soy hombre de trabajo y paso mi vida criando mis hacienditas, y cuando quiero sandías voy con mi platita en mano y las compro a su cultivador y dueño.

—¿Y puede saberse, don, de qué hacienditas me está hablando y si es mayor o menor y en qué vegas las pastorea?

—Variadas y de diferentes pelajes son mis haciendas: tengo cabras, tengo burros, tengo vacas con mi marca y mi señal, y sin señales ni marcas cuento con rodeos de quirquinchos y de avestruces que andan y desandan por sobre el haz de la tierra; y por debajo de las aguas tengo pejes a montones, y por los altos aires me hago de hacienda voladora que, para mermarme trabajos, asientan en la laguna por allicito, no más; y si no lo quiere creer, agorita mire y vea...

—¡Uh...! —no más dijo esa petardista autoridad y sin más se fue, muy murmurante.

En las apacibles tardes, cuando el sol quería recostarse en las azules cordilleras, Cogolludo, que había dormido su larga siesta, se asomaba a la ramadita de su rancho a tender sus miradas y, después de bostezarla, se iba a la laguna. Bajo un ramudo jume se desnudaba y luego de ajustarse un fuerte cinturón, tomaba una cáscara de sandía, grande y cortada por la mitad y provista de dos caladuras como si fueran ojos, se la encasquetaba cuidadosamente en la cabeza y se metía al agua. Caminando cautelosamente por el fondo, bajándose si era panda o poniéndose en puntas de pie si era honda o nadando algunos trechos, Cogolludo lograba avanzar mañosamente hacia donde lo llamaban su conveniencia y afición. Eso sí, conservaba habilosamente la cabeza dentro de la media cáscara de sandía, componiéndoselas para mirar a través de las dos aberturas. Como si lo llevara el desganado vientito y arreando disimuladamente a otras cáscaras que flotaban, se amañaba para acercarse a los patos silvestres que, en tupido número nadaban y pescaban bagres. En llegando al lado mismo de un gordo y confiado pato y en el justo momento que le indicaba su tino y antes que el pobrecito se la maliciara, lo agarraba por las patas, lo hundía en un fuerte tirón debajo del agua, lo aprisionaba estrechamente con sus baquianas rodillas y con las dos manos le quebraba el espinazo. Muerto el pobre pato, lo enganchaba por la cabeza a su cinturón y seguía con su silenciosa y mañera caza. Cuando ya contaba con una docenita de patos, Cogolludo tocaba retirada, arriando despacito, despacito a las desganadas sandías hasta llegar a la orilla. Se guarecía detrás de un recodo y salía debajo del jume. Luego ganaba su rancho y se ponía a desplumar patos para darse panzadas de cazuela con mucho ají, pimientas y otros ricos condimentos.

Una tarde que estaba entregado a la tarea del desplume, le cayó despaciosamente la autoridad. Por detrasito de él se le apareció, entre orondo y averiguador, el señor decurión. Allí, cruzado de brazos, con detenidos gestos, se dejó decir:

—Conque... desplumando patos, ¿no?

—Patas y patos, mi señor decurión; que de todito nos manda Tatita Dios a la laguna.

—Quisiera saber cómo los caza; ni un tiro ha *sonao* en todo el día.

—El que se destina a cazador ¡*güena* mano ha de tener! Hay quien caza por arriba, como el halcón de cortante vuelo, y quien, de lado, como el de escopeta retumbosa. Yo cazo como al descuido y es mi gusto irme por los bajos y sin hacer ruido...—. Confusa y desorientada se quedó esa autoridad. Al rato se fue, despacito y muy murmurante.

Sabiéndose estrechamente vigilado y en sospecha, Cogolludo atraía la atención de la autoridad a la gran laguna. Una tarde se divisó una polvareda que se acercaba, pensó que era el decurión que venía a petardearlo. En los momentos se fue para su descolgadero a la laguna, se desnudó y se metió al agua con la media cáscara de sandía bien ajustada en la cabeza y muy mirón por las dos caladuras que parecían ojos. Se alejaba despacito aguas adentro con la acostumbrada precaución de ir arreando a todas las cáscaras de sandías que por allí flotaban. De repente, al echar una mirada a su rancho, se quedó tieso: es que vio al decurión muy empinado y de centinela de la laguna. Empuñaba con guapeza su carabina y se le retrataban las ganas de andar a los tiros. La celosa autoridad miraba y porfiaba en remirar a las cáscaras de sandías que andaban a la vueltita por aquí y por allá. Cogolludo adivinaba lo que el decurión quería hacer con su famosa carabina, que a veces subía a las alturas de la nariz para hacerle los puntos a una cáscara y luego a otra, y de esta manera y con estos artificios la gozaba el del sable policiano. A Cogolludo se le achicó el corazón cuando vio que le apuntaba a la cáscara de sandía que le cubría la cabeza... Si casi se descubre en el apurón, porque estuvo a punto de zambullirse. A tiempo se le vino a la memoria que esa cáscara se hundiría en dejándola sola y él debería aparecer a corta distancia, con la cabeza al aire, y el decurión aprovecharía la ocasión para equivocarse: ¡en el velorio explicaría a todos lo que lo confundió con un pato! Temblando se contenía el escondido mientras que el de la carabina, como si maliciera los julepes que causaba, volvía a jugar a las punterías con su arma de fuego. Se le ocurrió a Cogolludo que el decurión maliciaba cuál era la cáscara que le cubría la cabeza... De repente sonó un disparo horroroso y la cáscara más vecina saltó por los aires, hecha pedazos. Solitas se le movieron las piernas para la disparada. Tuvo que sofrenarse para no descubrirse; suerte que el decurión se entretenía en cargar a su carabina por la boca, a fuerza de baqueta, que si llega a mirar...

Pero la celosa autoridad allí se plantaba y volvía a hacerle los puntos ya a una, ya otra cáscara y Cogolludo, queriendo y sin querer, se fue alejando con una media docenita de ellas. Ganó distancias en que la puntería y el alcance de las balas le daban ventajas, pero el decurión seguía porfiándola y ¡ni miras de irse! Allí, plantado como centinela lagunero, se dejaba estar en luchas de porfía y mirando aparatosamente a las cáscaras y haciendo mención de alzar su arma de fuego. Cogolludo, con los ansiosos ojos pegados a las caladuras, lo miraba y remiraba en un sin respirar y soltándole palabronas bajitas.

Y cayó el atardecer, pero el decurión se las aguantaba en su estar vigilante y prevencioso; hasta bien entrada la oración no se movió. De repente montó a caballo y arrancó a media rienda y Cogolludo, que temblaba de tanto estar en el agua, pudo salir y ganar su rancho. —¡Guarijuna que había sido plasta el *garabinero*! —se dijo por desfogue.

Pero al día siguiente le cayó de nuevo la autoridad. Con carabina venía y tan mal agestado que retrataba las ganitas de ajusticiar que lo manejaban.

—Los ladrones de sandías —se dejó decir el decurión— son de lo último y de lo más *pior* que puede haber. Pongo por caso primera y principal que no es preciso ni de necesidad el andar robando sandías, por no ser comida ni sustancia de provecho... El cristiano que roba un pan, que roba carne o cuantimás que roba sal, lo hace por vía de necesidad y apremio para mantener los restos de vida que lo sostienen, pero el que roba sandías, que al fin de cuentas no es más que un agüita dulce, lo hace por tentación y *maldá*. Por ser vicio va envuelto en burla y escarnio. Y haciendo pie en esta *verdá* es que yo vengo a decirle con todo el contrapeso de mi *autoridá*, que el ladrón de sandías merece pena de palos o que Doña Garabina le mande uno de esos confites que *dentran* sin pedir permiso...

—Yo pienso —argumentó Cogolludo, empantanado en trabajosas cavilaciones—, que han de haber seres dañineros de la noche que les guste, por vía de tentación y angurria, el regalarse con *sandiyas* bien maduras. Es de creer que en las deshoras salgan a su cosechar, y más vengo a sumarle que en estos campos tan soterrados, donde hay brujas y otras malignidades que vuelan, sientan el antojo de bajar a darse una panzada de *sandiyas* para salir después volanto bajito...

—A mí no me vengan con brujas, ni duendes, ni diablos de medio pelo, que yo, como *autoridá* que soy, sostengo y mantengo con el todo de mi medido decir que cuando hay robos, los ladrones son cristianos de la *pior* laya en el arte de garreo.

—Vamos yendo al dañado sandial —le sumó Cogolludo—, que allí hemos de ver por visto de ojos lo que le digo y le estoy diciendo. Mas que seguro estoy de hallar rastros brujos, y vaya sabiendo, don, que esas malignidades caminan al revés, porque por ser enemigos del Tatita Dios andan y andarán siempre, por el resto de los tiempos, con el paso cambiado.

—¡Y ya *mesmo* nos estamos yendo! —le asentó el decurión muy resoluto—. Pero sepa y vaya sabiendo que yo la miro y la vuelvo a remirar y ni me ladean señitas en el suelo ni palabras con embolismos.

Enlazó sus manos atrás Cogolludo y más que serio agachó la cabeza y enderezó para el tentador sandial de don Santos, seguido por el decurión.

—Parece que sabe el camino, ¿no? —se dejó caer con tapada intención de autoridad.

—¿Y quién no conoce dónde asienta y da frutos la única huerta sandialera de por aquicito?

—Uh... Uh... ¡Carámpano con la cosa!

—Mentada en todo el pago de las lagunas es la siembrita de don Santos, devoto de San Isidro Labrador.

Se fue quedando atrás el decurión para remirar los rastros de Cogolludo, el que sin más llegó y se metió a la huerta y muy luego anduvo serpenteando por entre los ramales de las plantas de sandías. No hallaba la vigilante autoridad que los rastros que dejaba el sospechoso fueran iguales a los muy tupidos que se mostraban en la huerta, pero eso más lo picaba. Rascándose la coronilla, preguntó:— Si *usté* me llena de rastros todo el sandial, ¿cómo vamos a saber después si ha vuelto solito y... por la noche?

—Yo le estoy siguiendo el rastro al ladrón de las deshoras.

—A deshora lo voy a mochar a palos —salió diciendo de golpe don Santos, apareciendo de su escondite con un tremendo garrote—. Y vaya sabiendo, don, que por más cogollos que usted cargue, yo manejo este cogollito de entrecáscara del chañar que sabe sacar virutas.

—Benhaiga con mi triste suerte —se quejó, muy sentido, Cogolludo—. Y yo, que vengo en son de amigo ayudador y en compaña de la *autoridá* tan solamente a descubrir al dañinero que deja rastros que ponen los pelos de punta.

—¡Miren! ¡Vean qué contiene esto! —y señalaba el suelo, abriendo tamaños ojos. Pero en eso cantó o dio gritos un pajarillo que más parecía que acusaba con alborotos.

—¡Seré yo el ladrón de mis propias sandías! —Se resolvió, encocorado, el dueño.

—No una, sino desvariadas veces se hace dormido, lo que no se quiere hacer despierto. Son tentaciones agachadas en el escondrijo y la madeja de las contenidas y más negadas intenciones...

—¿Agachadas, dijo? El ladrón que trabajó estos vistosos rastros —se metió el decurión, hecho un Calíbar— maniobró con picardía zorrera, pero, ¡adónde va a ir conmigo al hombro! Fíjense que el muy pillo se ha calzado las botas al revés, o sea lo de atrás para adelante y lo de adelante para atrás, y así ha caminado para engañar a los sonsos de primera agua, pero yo...

—¿Cómo lo sabe? —preguntó asonsadamente Cogolludo.

—¿No está viendo y mirando que la puntera se entierra más que los tacos? ¡El muy sinvergüenza enderezó para la casa de don Santos, pero cuando van yo veo que vienen, porque el muy... ¡se puso las botas al revés! Y con esto le estoy diciendo por segunda repetida que va cuando viene y viene cuando va, y esa rastrillada ¡es falsa y cavilosa! ya que ni va a San Juan ni viene de Mendoza.

—¿Y para dónde irá? —curioseó Cogolludo, rascándose la cabeza.

—Va en busca del primer mirón y preguntón *asonsao* que le salga al camino, pero yo, que soy de los que asoman después que se asomó el último y las abarajo en el aire, le sé decir que el que dejó estos mañosos rastros, ni es brujo ni es diablo como quieren hacérmela tragar, y ni fue ni vino, sino que quiso venir con mención de ir, pero, como doña Juana Chiflido, ¡ni ha ido ni ha venido!

Como hacía mucho calor, Cogolludo se sentó sobre unos montes que acható en el borde del desagüe, se sacó las ojotas y metió los pies dentro del agua fresca y correntosa. Gozaba las caricias del agua y de las arenitas cosquilleras por los dedos de los pies... Como al descuido miró las cercanas sandías maduras. Ni el dueño del sandial ni el decurión hallaron nada malo en esta inocentada.

—En oyendo lo que llevo oído y en viendo lo que llevo visto y ya que mis palabras no son con justicia valoradas ¡mejor será que nos vamos!

—¡Sí, don! ¡Mejor será que nos vamos! Se ve que don Santos tiene sueños atrasados y que se irá a dormir como un bendito y yo estaré de guardia en la *comesaría*, toda la santa noche!

Se fueron los tres, cada uno para su lado. Los tres bostezaban, muertos de sueño.

Cogolludo entró en su rancho y se acostó a dormir y durmió como un santo... hasta las dos de la madrugada en que despertó como al filo de una seña.

Cogolludo vivía con todo el gozar de su ser en las noches más oscuras. Con sus penetrantes ojos de hurón calaba a las vívidas negruras; por medio de su oído celosísimo cernía los ruiditos más contenidos, distantes y apagados, y con su nariz, más que oledora, las olfateaba desde muy lejos; pero lo que más le ayudaba y sostenía era sentir a distancia toda presencia enemiga, con un raro temblorcito picante en la piel por arribita del ombligo... Como dueño de las negruras salió Cogolludo de su rancho, en dereceras contrarias al sandial. Se allegó a la laguna, se desnudó en los amistosos silencios y entró en el agua oscura, remansada. Los gritos perdidos de la inmensa noche lo acariciaban como acaricia el mirar de la ampalahua a los pajarillos. El sentía los descansos en el centro de la estremecida noche y así, alentado por los vahos, caminaba por el fondo de la laguna con el agua hasta el cuello. A calculada distancia dobló y se dejó guiar por el ruido del agua que bajaba por el desagüe de la huerta de don Santos. Nada que le costó hallar la acequia desaguadora y fue avanzando despacito, despacito, hasta llegar al espinoso cerco que encerraba los cultivos. Apartó con el mayor cuidado unas ramas con espinas que rasaban la corriente, recogió una caña con un gancho en la punta que allí escondía, y se deslizó por el albañal bajo ramas secas con pinchos terribles. Entró en la huerta y caminó aguas arriba por dentro del desagüe, sin dejar rastros ni señas y en llegando al elegido lugar y siempre con los pies en el agua, se sentó en los mismos montes en que esa tarde se había sentado. Allí reposó. Descendió a un aquietarse de todo su ser. Logró bajar a sus resguardadas honduras hasta hallar a su propia raíz; desde ahí mismo y con empujes vírgenes, tiró sus vividos alientos como si fueran ramas del árbol de la vida y halló que, como a treinta pasos respiraban dos enemistades...

Allá, al otro extremo de la celada huerta y a dos lados de la tranquera velaban dos tigres de la noche, apostados con toda las ansias de matar: el vigilante decurión, que empuñaba su carabina con bala en boca, y el dueño del sembrado, con tamaño garrote a dos manos. Los dos desvelados guardianes atendían con ferocidad a la tranquera porque sabían que por ahí debía entrar el ladrón, ya que el tupido cerco de terribles y enconosas espinas no daba ningún "dentre" al sandial. De repente atesaron las orejas: habían oído ruiditos de pasos.

Cogolludo había tirado unos cascotazos algo más allá de la tranquera, con la demora y el cálculo que haría alguien que se acercaba despacito, despacito...

Cogolludo tomó su gruesa y larga caña provista de gancho y se aseguró con el tanteo cañizo cuáles eran las sandías maduras, a las que ya les había echado el ojo esa tarde. Emboquilló una y de un recio y silencioso tirón la arrancó y la atrajo suavemente por sobre los yuyos hasta hacerla caer al desagüe. Luego tomó otra y otra más y siguió con el juego hasta completar la docenita de sandías. Todas caían al agua y la corriente se las llevaba a la laguna. Cogolludo se puso de pie, siempre dentro del desagüe y, caminando aguas abajo, llegó al cerco. Dejó bien escondida a su caña con gancho, pasó por debajo del albañal espinoso, colocó en su lugar a las ramas de terribles espinas que rasaban las aguas y entró en la negra laguna. Reunió su cosecha a deshoras y, apenas asomando la cabeza, abarcó con sus brazos las ricas sandías y las fue arreando a flor de agua hacia su rancho...

De *"Cuentos mendocinos"*

JUAN DRAGHI LUCERO

Representante destacado de la narrativa argentina contemporánea. Nació en Luján de Cuyo (Mendoza) en 1897. Imaginación y hondura psicológica caracterizan sus cuentos, recopilados en obras como "Las mil y una noche argentinas", "El loro adivino" y "Cuentos mendocinos".

* Las palabras en bastardilla son vulgarismos característicos del habla rural.

San Juan

EL GALLO DE DOÑA PAULA

Juan Pablo Echagüe

"Tres estampas de mi tierra" es la obra por la que Juan Pablo Echagüe recibiera el Premio Nacional de Literatura. Estas tres estampas, en las que evoca su provincia natal, se denominan: "San Juan", "La Pericana" y "El Gallo de Doña Paula". A esta última pertenece el fragmento seleccionado. Se relaciona con la infancia del autor, quien recuerda la angustia de sus terrores nocturnos, angustia a la que ponía fin el canto del Gallo de Doña Paula, anciana señora, propietaria de la heredad vecina.

"¡Gallo de Doña Paula, amigo inolvidable, tu imagen altanera y tu canto presagioso se asocian a mis impresiones de peregrino, cuantas veces vuelvo a la tierra materna!

Oigo tu voz en los cortijos cuando la campiña se envuelve en los candentes vahos de la siesta, y la oigo también cuando la claridad lunar se vuelca sobre los follajes verdinegros del agro adormecido. Ella sale a saludarme de los ranchos, si me aventuro por aquellos caminos de montaña tallados en las rocas, al borde de abismos erizados de peñascales, entre cuyos vericuetos braman los turbiones. Y es el himno de mi infancia remota ¡oh, gallo de Doña Paula! el que escucho en tu canto, cuando evoco al San Juan del pasado que ha cambiado tan poco en mi memoria.

¡Yo sigo contemplándote como eras entonces, lugar en que se meció mi cuna!

Evoco tus calles empedradas con cantos rodados que trituraban al pasar guiadas por el clarín del capataz, largas tropas de carros tirados por cinco mulas enjaezadas de tientos y torzales. Circulo con la imaginación por entre tus cúbicas albañilerías de adobe blanqueadas a la cal, cuyas ventanas de reja y claveteadas puertas se abrían sobre veredas de lajas y ladrillos; me interno en tus zaguanes estrechos y tus patios floridos, rodeados de corredores con postes de algarrobo y techumbres de cañizo; penetro en tus huertas olorosas y me paseo a la sombra de pámpanos y frondas frutecidos; oigo la cristalina canción de tus acequias y el estremecimiento rumoroso de tus álamos; sigo con la mirada al fugitivo juego de las trombas que el zonda levanta en los caminos de tu suelo polvoroso; al pie de tu catedral tutelar, adonde me llevaba a orar mi madre, me solazo con la retreta de la plaza que expande en la serenidad municipal su armonía sonora.

O bien, adolescente ya, de espaldas en el lecho dispuesto en el patio familiar a cielo abierto, me duermo absorto ante el esplendor alucinante de la luna, mientras llega hasta mí, como un arrullo, el líquido murmureo de un remanso que desgrana en cascada sus ondas cantarinas...

Mas todas mi remembranzas y emociones se resumen en una nota: ¡el canto augural del gallo de Doña Paula, que flota por sobre el valle sanjuanino llenando con sus ecos el ámbito luminoso y azul! "

JUAN PABLO ECHAGÜE

Nació en San Juan en 1875 y falleció en Buenos Aires en 1950. Su obra múltiple aborda la crítica, el ensayo, la historia, así como también el relato de hondo sabor lugareño y autobiográfico.

VIENTO ZONDA

Antonio de la Torre

Sobre los cerros de plomo
está el horizonte lívido.

Con su caballo de vértigo
viene del cerro, sombrío,
galopando jarillales
saltando cumbres y abismos.

Cruza furioso, afanoso,
por la quebrada del río,
derrumba los sauces lentos
desgarra los carolinos
y asfixia la casa pobre
con su poncho enrojecido.

Con penacho de pichana,
chilca, totora y junquillo
en remolinos de llamas
quema los campos tranquilos.

De Zonda hasta Huanacache
llena el valle de delirio
aventa arenas rugientes
rasga viñedos y olivos
arrastra a la brisa joven
y al cielo manso consigo.

Antes de huir por los llanos
con su caballo encendido
tira puñados de tierra
al viejo sol mortecino
¡Nadie prosiga la ruta
se han borrado los caminos!
¡Sólo en la paz de la tarde
se yergue el álamo altivo!

De *"San Juan de Ayer y de Hoy"* -
Publicación Cuarto Centenario
de San Juan (1562-1962)

ANTONIO DE LA TORRE

Nació en Granada, España, en 1904. Se ha nacionalizado argentino. Ha publicado numerosos libros de poemas, entre los que figuran: "Canciones de peregrino", "Vendimias líricas", "Mi padre labrador", "San Juan, voz de la tierra y del hombre".

"Del Zonda al Aconquija", es un libro valioso que ofrece una visión auténtica del paisaje, del hombre y la vida de esa región.

San Luis

UN HOMBRE DICE SU PEQUEÑO PAIS

Antonio Esteban Agüero

El autor realiza el inventario poético de su provincia, San Luis. A través de doce cantos expresa todo lo que hace al paisaje y al hombre de su tierra natal. Arroyos, fauna, flora, oficios y costumbres conforman la visión lírica del poeta.

Se transcriben fragmentos de dos cantos de esta obra.

DIGO LA FAUNA

PACHAKAMAC me asista en el empeño
de celebrar y saludar la Fauna
que prospera en el bosque y en el bosque
tiene segura y ancestral morada:

Digo el Puma nocturno y carnicero,
con la pelambre de color de paja,
punzante el ojo y el olfato agudo
cuando siembre terror en la maraña;
digo el Zorro de cola caudalosa,
sabio y sutil perseguidor de caza,
héroe de cuentos que el anciano dice
en la rueda cordial de la velada;
y la Huina que lleva en su pelaje
vivo reflejo de violenta llama;
y el Gato Montés, primo del Tigre;

y la tímida y leve Sacha Cabra,
noble mezcla de gamo y de gacela,
a quien he visto cuando viene el agua
escaparse de mí con la premura
de la saeta que la brisa horada;
y la Liebre pacífica que muerde
tallos de hierba en la feraz cañada
y parece mirar con las orejas
y con los ojos escuchar distancias;
con el impacto de su orín amarga;
y el Tucu Tucu, como un topo oscuro;
y el Conejillo o Cuisi de las ramas;
y el Hurón, ondulante y sigiloso,
fiero asesino de terrible zarpa;
y el Quirquincho, con su andar menudo,
el escudo frontal y la coraza
que les presta a los niños campesinos
una convexa y musical guitarra;
y el Mataco que al mínimo peligro
cierra la concha en una esfera parda;
y la Tortuga, silenciosa y lenta,
y la sociable y cómoda Vizcacha,
cavadora de extensas galerías,
en cuya puerta hay un montón de ramas
por donde sale a celebrar la luna
cuando la luna es claridad nevada.

DIGO LA FLORA

QUIERO este digo como piedra dura,
clara piedra que luna conmovida,
vencedora del musgo y de la lluvia,
triunfadora del triunfo y de la ortiga,
para decir los nombres de la Flora
que navegan mi frente pensativa:

viejos nombres del árbol y la hierba,
y también de las rientes florecillas,
nombres sabrosos, sugerentes nombres,
que a veces son como la cosa misma,
recorridos por músicas secretas,
perfumados de savia y de resina,
castellanos a veces, y otras veces
con abolengos araucano o quichua.

El Tala nombro, cuya sombra tiene
transparencia de lumbre submarina,
con el ramaje complicado y vasto
como creado por loca fantasía,
recubierto de pálida verdura
que los ojos encanta y clarifica;
y el Chañar y su espíritu gregario
pues no sabe crecer sin compañía,
bello de flores cuando acaba octubre
rico de frutos cuando enero inicia;
y el Piquillín, agudo como un grito,
tunicado de innúmeras espinas
que defienden las gemas de su fruta
de toda humana o animal codicia;
Piquillín del infante y de la abeja
Piquillín del pájaro y la víbora,
bajo el sol y la sombra de tu nombre
vuelvo a leer mi infancia campesina;
y el Palán-Palán, en cuyo acento
se oye sonar una remota esquila;
y el Espinillo con flores que parecen
oro de bucles, redonda pelusilla,
surtidor de fragancia que nos llena
el alma toda de una azul caricia;
y el Ucle de largos candelabros
que parecen arder a mediodía;
y el Tinticato, el de la leña fuerte;
y también la utilísima Jarilla
que produce la escoba para el patio,
y carbones de lumbre sostenida,

y es color en la lana de la colcha,
y salud en la criolla mendocina;
y el Caldén, solitario en su grandeza,
como los héroes de la saga antigua;
y el Molle, que nace donde el bosque
comienza a trepar por las colinas,
viejo amigo de cabras y regatos,
árbol señor en cuya fronda habitan
la frescura más riente de la sombra
y el sonido más puro de la brisa
y el Quebracho rugoso y poderoso,
fuerte columna de las selvas indias;
y el Coco que guarda en su corteza
veta de jaspe o de alabastro rica
para mano de artífice paciente
o para torno y gubia de ebanista;
y el Peje, el flechero silencioso,
en quien lo verde se trocó en esquina
erizado dragón, de herrero duro,
siempre dispuesto a la valiente lidia;
y el Llantón, que llora si la lluvia
en las alas del viento se aproxima;
y el Retamo de nudos sarmentosos,
cuya madera cuando está pulida
se parece a los ónices brillantes
por sus vetas verdosas y amarillas;
y el Algarrobo, siempre el Algarrobo
con su joven verdor que purifica,
hijo del Sol y padre de la Sombra,
prócer y solo en la quietud del día.

ANTONIO ESTEBAN AGÜERO

Nació en Merlo, provincia de San Luis, en 1917. A temprana edad se manifiesta su vocación literaria y ya a los quince años publica sus primeros poemas. En 1937 aparece "Poemas lugareños", al que siguen luego "Romancero aldeano", "Pastorales", "Romancero de niños" y "Las cantatas del árbol". Colaboró frecuentemente en los principales diarios y revistas del país y en 1960 recibió el premio del sesquicentenario de la Revolución de Mayo por su obra "Un hombre dice su pequeño país".

Murió en 1970.

AMBITO CENTRAL

"*La montaña tucumana que se levanta hacia el Oeste y la pampa cordobesa y santafesina que la abrazan por el naciente y el sur, la han confinado, en cierto modo, en una fisonomía singular.*

El paisaje áspero y recio no tiene dilatados horizontes, ni el descanso que las serranías brindan a la mirada ni la blanda visión de los lagos; por el contrario, la maraña hirsuta, la llanura polvorosa, la salina reverberante, han acentuado aquella aspereza, aquella reciedumbre, y ello ha debido influir en el carácter del santiagueño, que al decir, de un poeta, sin saberlo es pedazo del paisaje."

Horacio Rava
"La Nación", 9 de julio de 1966

Santiago del Estero

ROMANCE DE AUSENCIAS

Ricardo Rojas

Arbolitos de mi tierra,
crespos de vainas doradas,
a cuya plácida sombra
pasó cantando mi infancia...

He visto árboles gloriosos
en otras tierras lejanas,
pero ninguno tan bello
como ésos de mi montaña.
Cantando fui, peregrino,
por exóticas comarcas,
y ni en los pinos de Roma,
ni en las encinas de Francia,
hallé ese dulce misterio
que sazona la nostalgia.

Algarrobal de mi tierra,
crespo de vainas doradas
a cuya plácida sombra
pasó cantando mi infancia...

Mística unción del recuerdo
que me estremeces el alma,
trayéndome desde lejos,
como en sutil brisa alada,
un arrullar de palomas
cuando el crepúsculo avanza;

un aromar de poleos
cuando el viento se levanta,
y en el silencio nocturno
un triste son de vidalas.

Algarrobal de mi tierra,
crespo de vainas doradas
a cuya plácida sombra
pasó cantando mi infancia...

¡Ay! ¡cuándo volveré a verte
rústico hogar de mi patria!
Ser quiero yo, tu hijo pródigo,
que torna a la vieja estancia,
por merendar las colmenas
en tu quebracho enjambradas.

¡Ya en los manjares del mundo
probé las heces amargas!
¡Ya en la orgullosa melena
me van pintando las canas!

Arbolitos de mi tierra,
crespos de vainas doradas,
a cuya plácida sombra
pasó cantando mi infancia.

RICARDO ROJAS

Nació en Tucumán en 1882 y falleció en Buenos Aires en
1957. De ascendencia santiagueña, en su extensa obra hay
reiterada identificación con Santiago del Estero. Sus obras
más difundidas: "El País de la Selva", "Blasón de Plata",
"El Santo de la Espada" (vida de San Martín), "Ollantay".
Su "Historia de la Literatura Argentina" es el primer es-
fuerzo ambicioso sobre nuestra literatura nacional.

CANTO PARA DECIR SANTIAGO

Alfonso Nassif

Madre de la voz y la semilla
con que se anticipó toda esperanza.
Nunca pudo nacer de otro lugar la Patria.

A ti te nombro
y a ti vuelvo.
Quién sabe qué gigantes alas
atraen mis pies a tus raíces
y te nombro desde el final del regreso
hasta el principio donde partir es el recuerdo.
¡Carne de mi andar y mi quedarme...
De mi quedarme siempre!

Vamos juntos
por la cicatriz abierta de tus ríos
a dialogar el clima de tanino
a desparramar al cielo tus represas
animando la raíz de tus salinas
entonando las coplas
que escribirán en árboles de luz
los días de tu nombre.

El tiempo es un Kakuy sangrando esperas
pero hay colores que la mañana aguarda...
Ya dirá turay el poema
y será un hermano sin nostalgia.
Que así lo anuncien el sol y las guitarras...
¡Qué hermosa es la esperanza!
¡No la maten mañana!

ALFONSO NASSIF

Nació en 1932 en Icaño, Santiago del Estero. Obtuvo diversos premios en poesía, como el otorgado por la Dirección General de Cultura de la Provincia por su "Poemas para el amor". Autor de una antología de poemas santiagueños.

Kakuy: voz quichua: ave nocturna de melancólico canto.
Turay: voz quichua: voz con que se llama al hermano.

ROMANCE DEL CANTO NATIVO

Dalmiro Coronel Lugones

Siento que soy en mi tierra
sol, arcilla, arena, mapa,
sol, paisaje, nervio, vida,
vuelo, leyenda y vidala;
Que hundo en su seno raíces
y en sus cielos echo ramas
y en el quehacer de mis versos
siento que en mí vive su alma...!

Oigo las voces remotas,
aquellas de la india raza,
que resuenan en el barro
cocido de las tinajas
que pueblan en los misterios
de la selva legendaria
cuando en el viento y el ave
los mitos quichuas se encarnan.

Oigo las voces de bronce
—graves de historia y prosapia—
de la Ciudad del destino,
cuatro veces centenaria,
la que fundaron primero
los caballeros de España,
la "muy leal y muy noble",
la de la Cruz y la Espada.

Me siento espuma en mis ríos
—tiempo crecido en sus aguas—
soledad de monte y piedra
en mis quietudes serranas,
en mis bosques algarrobo
con flor del aire en las ramas
y jume, sed y salitre
donde la tierra es amarga...!

Y en el paisaje soy canto
de chalchaleros al alba
flauta de tordos y mirlos
saludando las mañanas,
arrullo triste de urpilas
poblando las siestas largas
y silbo de codornices
cuando las tardes se apagan...

Soy salmo pluvial de estío
Prisionero en las tinajas,
ojo absorto de represa
viendo las nubes que pasan,
acequia que en las campiñas
con voces labriegas anda,
y quieto estar de bañado
entre el soñar de las garzas...

Me siento cuerda y madera
delirando en las guitarras,
tiempo de lunas crecidas
sonando insomne en las cajas,
parche legüero de bombos
golpeando en las salamancas
y desvelado sonido
en el perfil de las arpas...

Y porque me sé viviendo
en los ritmos de mis danzas...
me zapatea una alegre
chacarera en las entrañas,
un embrujo de malambos
por mis arterias resbala
y mi espíritu es pañuelo
que se agita en una zamba...!

....

Y aquí estoy en mi Santiago,
nutriéndome en su savia,
hombre y poeta afirmando
honda raíz en su drama,
bajo los soles ardientes
quemándome las espaldas,
bajo el disco vidalero
de las lunas trasnochadas...

Y porque a mi patria chica ..
cuatro centurias me arraigan
(pues en mi sangre hay linajes
a aquellos que la fundaran...)
y su telúrica fuerza
de amor nativo me inflama
en un cantar romancero
le entrego, en ofrenda, mi alma...!

De *"Romancero del canto nativo"*

DALMIRO CORONEL LUGONES

Nació en La Banda, Santiago del Estero, en 1919. Entre
sus obras se destaca "Romancero del canto nativo", pu-
blicada en 1965. Murió en Buenos Aires en 1971.

SOY LA VIDALA

Ana Alicia Licitra

En la orilla del Dulce,
creciendo yuyos están
revoloteando los guacos
sobre el agua que va.

Y sentadito de lejos
hay un changuito pescando
que viene del otro lado
una vidala cantando.

El sol, que ha tostado su cara
un candor puro va dando
y su cuerpito tan tierno
morenito va quedando.

¡Mi changuito santiagueño!
¡Flor y nata de mi tierra!
húmeda de rocío soy la vidala
¡Soy la vidala que llega!

Asidos a mi vestido
traigo coyuyos cantores
traigo chañares muy dulces,
traigo belleza y mil dones.

Con el tun-tun de mi caja
voy cantando mis dolores
perfumando hasta la brisa
penetro en los corazones...

ANA ALICIA LICITRA

Nació en 1943 en Santiago del Estero. Entre sus obras pueden citarse: "Recordación", libro de poemas; "Cuentos del bosque", para niños; "Hombre transversal". Obtuvo varios premios en la Capital Federal y la Faja de Honor de la SADE, Santiago del Estero, en 1975.

Córdoba

SONETO A CORDOBA

Jorge Vocos Lescano

Por más que voy, como las golondrinas,
cruzando tanto cielo y tanta altura,
mi corazón persiste en la segura
transparencia del bronce en que te obstinas.

¡Oh ciudad, yo me fui de tus esquinas,
vino el afán, tomé una senda oscura,
mas al partir ya estaba en mi cintura
tu cinturón de torres y colinas!

Por eso estoy, por más que no te vea,
y vivo en ti, sereno y recogido.
Que baje al corazón el que no crea.

Tanto querer tus cosas provincianas
en vez de corazón tengo un tañido
donde me caben todas tus campanas.

De *"Obra poética"*

JORGE VOCOS LESCANO

Poeta nacido en Córdoba en 1924. Reside en Buenos
Aires. Es miembro de la Academia Argentina de Letras.
Entre sus obras mencionaremos: "Tres lamentaciones",
"Los aires y el destello" y "Día tras día", por la que re-
cibió, en 1954, el Premio de Literatura de la Provincia de
Buenos Aires.

ELEGIA DE LA CALERA

Alejandro Nicotra

Aunque la tarde, amiga, se nos vaya
en fuego solitario,
habrá siempre un rincón en La Calera,
en su anillo de lomas azuladas,
donde el aire nos nombre, y aun nos quede
una rosa, una estrella,
un grillo en la penumbra,
un sendero que guarde nuestros pasos.

¿Recordarás, un día,
si el tiempo agrava en el infiel espacio
nuestra distancia, un día,
esos montes violetas,
esas promesas dichas a la sombra,
ese vagar en sueños, aquel coro
del río y la montaña?

Pero conmigo van, vienen contigo:
de tierra a sangre
secretas redes el amor tejía,
y en ellas recogimos
otoños, primaveras.

¿No eres tú clara acequia montesina,
rubio panal serrano,
luz y olor de espinillos fulgurantes,
colina cordobesa?

¿No soy yo como el río entre los montes,
como en la tarde un álamo?
Todo vuelo de Córdoba traspasa
mi corazón: en él
cada campana tañe; cada ocaso
para él deja escrita,
más allá de las torres, tras los cerros,
la carta de sus ángeles.

Mañana,
estés, amiga, en donde estés, mañana,
los ojos vuelve a este paisaje en sueños:
contigo iré, cuando la noche cae;
conmigo irás, aunque nos deje el día
sólo un fuego, una frente solitaria.

De *"Nuevas canciones"*

ALEJANDRO NICOTRA

Nació en Villa Dolores, Córdoba, en 1931. En sus poemas
ha volcado impresiones y sentimientos en permanente
comunión con el espíritu de su tierra natal. "Poemas para
amigos", "Cuaderno de Córdoba", "Nuevas canciones",
son algunos de los títulos de su producción poética.

CORDOBA DE LOS AQUILONES

Arturo Capdevila

Córdoba de los aquilones...

En la alta noche de verano, mientras duerme la ciudad, el huracán se abate de pronto; el huracán que cierra con fragor ventanas y puertas. Es un viento que brama, que aúlla, que zumba, que silba; un viento áspero cargado de polvo que deja tierra pegajosa en la boca, en los ojos, en la piel. Cae sobre la ciudad, repentino y formidable dando vueltas espantosas y ciegas. Elige la noche. Se entra de noche, salvando de un salto el valladar de los barrancos. Sacude fieramente los árboles. Enloquece el jamelgo del coche nocherniego. Envuelve y vela los focos eléctricos. Es la violencia y la oscuridad. Echa su aliento primero, un vaho caliente, luego un soplo frío. Si este viento diabólico halla por delante un muro, se da locamente contra él. Por momentos parece un gigante que empujara un murallón con su hombro inmenso; que lo empujara rabioso, con los dientes rechinantes y la respiración hecha jadeo.

Pero a tiempo que cierra con estrépito las puertas de las alcobas, este viento ululante abre de par en par las del sueño. Se entra en el alma como un mal espíritu. Amenaza y atolondra. Agita y enerva. Despierta y aturde. Alarma y sofoca.

Luego parece que ha pasado.

Pero retorna. Y da en la noche un clamor de fiera malherida. Y ruge y muge y gruñe. Y sacude las puertas y las arañas y las muerde y las roe. O tremola bramando como desmesurada bandera, y se hace jirones en la soledad. Huye el viento, y el sueño se va con él, asentado y barrido. La ciudad entera ha sido levantada por esta fuerza del espacio y vuela con el aquilón pavoroso.

De *"Córdoba del recuerdo"*

ARTURO CAPDEVILA

Poeta, escritor e historiador argentino. Nació en Córdoba en 1889. Su producción literaria abarca diversos géneros: ensayo, biografía, teatro, poesía, pero se destaca indudablemente por su obra de poeta lírico. Consagrado por la crítica, recibió el Premio Nacional de Literatura en los años 1920 y 1923.
Fue miembro de la Academia Argentina de Letras. Entre sus obras más importantes: "Córdoba del Recuerdo", "Las Invasiones Inglesas", "La Sulamita", "Melpómene". Murió en 1967.

AMBITO DE LA SELVA

*Ambito inmenso que desde el oriente
de Jujuy y de Salta se extiende hasta
explayarse con todo su tropical vigor
en el suelo de Misiones...*

. . . . .

*La Selva atrapa con abrazo tentacular
y fascinante. Cuando se penetra en ella,
falta la perspectiva, la relativa lejanía
que el paisaje presupone. En el corazón
de la maraña, es verdad que "los árboles
impiden ver el bosque".*

Augusto Raúl Cortazar
(obra citada)

Misiones

ODA A LAS CATARATAS DEL IGUAZU

Nicolás Cocaro

La selva, ese grito de América,
se abrió como una mano para darle paso,
para despertar el agua,
en saltos, en montañas,
en montes,
y el cielo —lujuriante apretón de sonidos—
se alarga por las tierras rojas.

Cantan viejas voces de otros días,
cantan en sus aguas
las melancólicas tribus de mi país;
suenan las voces más nuestras
con un ritmo de huracán,
con un grito que siempre renace en las ollas
de las cataratas.

Hemos escuchado su voz en la noche.
No es la catarata. No es el salto,
no es la golondrina, no es el jaguar,
es la voz de América que crece,
como un guerrero con su hacha,
en los claros de la selva verde.

En los techos de los montes corre,
enloquece, gime, brama,
y se retuerce en el incienso
como una anaconda de otros tiempos.

Es la voz, es América que canta,
en ese antebrazo levantado del país.
Son los antiguos dioses de las hojas verdes,
de la yerba mate,
que juegan con los hombres y su suerte.

Entre los naranjales se despierta la alegría
y deambula
por la tierra roja,
acosado, libre, hundiendo sus brazos
en un suelo fértil,
levantando una provincia con pasión de raza nueva.

Es América, es el corazón de esa golondrina,
volcada en vuelo;
es esta golondrina
que llevan y traen las aguas
en las espumosas huellas de las cataratas.

Son los ríos que bajan,
son los ríos que bajan cantando,
como ayer un guerrero con sus hombres,
como ayer un jefe guaraní en su bohío
desafiaba chapetones
en sus tierras.

Escuchemos, escuchemos esos saltos,
esas terribles fuerzas desatadas
cayendo, siempre cayendo.

La selva se estremece, el país se levanta y anda.
Que ante este país, como una catarata,
como el Iguazú libre por su fuerza;
que ande, como el corazón del hombre
que late desde el primer día de la humanidad.

Esta es América, esta es Misiones,
y es el canto en plenitud
de desatados vientos.

Quiero mirar el aire de estas cataratas,
tocar su cuerpo de agua,
su raíz de pasión y tierra fértil.
Echo a andar. Soy la patria que canta,
en ese monumento de aguas, de selvas
y de siglos.

De *"Héroes, Caballos y Vientos"*

NICOLAS COCARO

Nació en Mercedes, provincia de Buenos Aires, en 1923. "La mano sobre la tierra" es su primer libro. Luego publicó "De cara al viento", "Alegre muchacha de América", "En tu aire, Argentina", entre otros.

Formosa

LEYENDA

Ariel Vergara Bai

Cuenta la leyenda que hace siglos se enamoraron perdidamente, en Tarija, Quilla, hija de Tenco, un modesto alfarero, y Pilcomayo, vástago de un príncipe del Potosí. Pero Pumac —así se llamaba éste— rompió la unión enviando a su heredero al altiplano custodiado por fuerte guardia, condenando a Quilla al destierro. Enloquecida, llorando su desventura, caminó hacia el naciente muchas jornadas atravesando selvas y desiertos seguida por su padre. Pilcomayo, que también la amaba hondamente, burló la vigilancia emprendiendo la búsqueda de su prometida. Siguiendo las referencias de sus amigos también marchó hacia el Este, pasando mil penurias, hasta que un día encontró al viejo Paraguay, quien conmovido por la historia de amor imposible, lo llevó al encuentro de su amada; pero sólo hallaron un torrente incontenible de lágrimas bermejas, lo único que quedaba de Quilla, de tanto llorar la ausencia de su bienamado.

Pilcomayo se arrojó a ellas para abrazarlas, perdiéndose en las profundidades impetuosas.

Desde entonces fluyen dos regueros de llanto convertidos en ríos que, luego de andar leguas y leguas murmurando sus desdichas, se unen en un abrazo eterno bajo la bondadosa protección del Paraguay el hado que los unió para siempre.

Los tres enmarcan lo que hoy es Formosa tierra de sol vertical y noches luminosas, embebida de la poesía de la leyenda, plena de posibilidades de futuro.

De *"Sol vertical y noches luminosas"*.
Revista "La Nación", 9 de julio de 1966

No se registran datos del autor.

PILCOMAYO

Alberto Franco

Descienda a mi la paz, cierre los ojos.
He conocido el Río de Los Pájaros,
brisa de verde junco en las orillas,
agua de trino y sol, en Sagitario.

Una canción espejo de la dicha
duerme en el tiempo su silencio claro.
En la flor marinera va el olvido,
flor de los sueños azules, peces blancos.

Niño de pies desnudos, esta noche
en estas aguas detendré mi paso;
un grato frescor de quieta sombra
subirá hasta mis ojos fatigados.

. . . .

De *"Antología poética"*

ALBERTO FRANCO

Nació en 1903. En Buenos Aires, su ciudad natal, se ha desempeñado como profesor de Introducción al folklore en el Conservatorio Nacional de Música y Arte Escénico; como bibliotecario en el Teatro Colón; como colaborador de los diarios "La Nación" de Buenos Aires y "La Capital" de Rosario. Entre sus obras se cuentan "El tañedor", que mereció el Primer Premio de poesía de la Municipalidad de la Ciudad de Buenos Aires en 1939; "La leyenda", "Cancionerillo de amor", "Leyendas de Tucumán", "El buhonero", "Libro de la rosa y el delfín".

Chaco

CANTO LUNERO TOBA

Adolfo Cristaldo

Era, Era Eragaray...

Viejo canto lunero,
vieja raza perdida en tiempos y más allá...

Incienso indio,
canto lunero de mi heredad.

Raza cobre batiendo parches corazoneros,
cantando salmos de soledad,
quién desentraña que llora o canta
en el eragaray.

Muy muchas veces en estos sures
busqué a la luna para decirle: era eragaray!

Pero las lunas
—miente quien dice "la luna es una"
no son las mismas que he visto allá.

Yo con tu canto ando caminos...

Te evoco ahora cerca del mar,
y con tu rezo rumbo a la luna
mi alma retorna hasta el Paraná.

El padre río de nuestra raza
anda caminos y también va al mar.

Sabe que toda su india dulzura
no hará que dulce se vuelva el mar.

Pero ese río de estirpe india
nunca su curso ha de remontar.

Cantemos siempre mi vieja raza si nadie canta,
que todos oigan tu risa o llanto:
era, era, eragaray.

De *"Raza Chaco"*

Nota del Autor: Era, era, eragaray: onomatopeya de canción lunera ritual aborigen.

ADOLFO CRISTALDO

Chaqueño, egresó como maestro de la Escuela Normal de Resistencia. Ejerció el periodismo en diarios locales, de otras provincias y de la Capital Federal. Su libro de poemas "Raza Chaco" interpreta notablemente la conjunción de razas de su provincia natal, a partir de la llegada de los inmigrantes italianos de los que el autor es descendiente.

TIERRA CALIENTE
(fragmento)

José del Carmen Nieto

*El autor ubica la acción de esta novela en el Chaco bra-
vío de la época de la conquista del desierto.*
*El realismo de la narración se acentúa con la presencia
del paisaje y con personajes como Sacandú, pescador, cazador, baqueano, que se interna en la selva más allá del
Bermejo, en tierra de indios; Ramón Ovejero, salteño, afin-
cado en el Chaco, "criollazo de ley y varón como hay
pocos"; el teniente Maidana, quien comanda las tropas;
el padre Tomás, el misionero.*

Ramón Ovejero había clavado como una lanza su
rancho en el desierto. Lo levantó adonde no había llegado nadie, en los dominios de indios y fieras. Fuerte
y bajo, para que no lo conmovieran los vendavales, casi
aplastado contra la tierra fértil. Horcones y carandá
y cumbreras de lapacho, paredes enchorizadas y revo-
cadas con barro, techo de cortadera extendiéndose en
amplios aleros. Cálido en invierno, fresco en verano.
Estaba en una altura, donde no lo alcanzaban las inundaciones. Un cercano algarrobal ofrecía generosa sombra, y aislados y coposos timbóes resguardaban la hacienda si calcinaba el sol.

Una legua al norte el río Pilcomayo arrastraba sus
aguas gredosas, gimiendo a veces, murmurando otras,
silencioso como un reptil cuando el curso se convertía

en un débil hilo, o amenazador y ronco si las crecidas lo desbordaban por llanuras y selvas, por abras y madrejones, infiltrándolo leguas y leguas tierra adentro. Demostraba su capacidad de destrucción durante los deshielos cordilleranos, o si torrenciales lluvias del trópico alimentaban con dañina generosidad su curso, convirtiéndolo en azote de la llanura chaqueña.

Corría por las venas de don Ramón sangre de montoneros. Su abuelo fue uno de los héroes anónimos de las fronteras del norte, que quedó para siempre en el altiplano cuando llevaban los restos de Lavalle, quebrada arriba. Había dejado tres hijos, dos de los cuales murieron en las luchas intestinas sin terminar de comprenderlas. El tercero era el padre de Ramón, famoso por su habilidad de rastreador y baqueano, su ciencia para curar animales, su instinto para huellear en plena selva, en la montaña, en el lecho de los ríos donde se suman, multiplican y confunden las pisadas, incomparable corredor de monte y cazador. Trasmitió a su hijo único cuanto pudo de su ciencia criolla, de su coraje, su honradez, su lealtad y el respeto a la palabra empeñada. Perdiéndose para siempre una noche de tormenta, pretendiendo vadear un río desbordado.

Le dejó algunas vacas, un toro, cuatro caballos magníficos, único lujo de toda su vida. Ramón tenía veinticuatro años cuando ocurrió esto; poco después oyó hablar de la llanura chaqueña, cubierta de pastizales, donde podía afirmarse cualquiera con el suficiente coraje para enfrentar a indios y fieras.

Hacia allá partió un día con tres viejos y fieles troperos amigos de su padre, arreando un pequeño hato, aumentando con el cambio de dos de los buenos caballos por vacas. Las ansias de aventuras que animaban en la sangre del nieto e hijo de montoneros encontraron en el amplio y salvaje escenario chaqueño, que se extendía desde el Pilcomayo hasta las impenetrables selvas al sur del Bermejo y desde el caudaloso Paraguay hasta Salta y Santiago del Estero, un campo fabuloso donde medir su coraje e intentar hazañas que nadie hasta entonces consiguió concretar, aún volcando en ellas recursos económicos, hombres y materiales en cantidad extraordinaria.

Los indios fueron desde el instante mismo en que levantara el rancho, peligro latente, invisible, pues esperaban la misma oportunidad, al menor descuido para vengar la afrenta del avance sobre sus tierras: habían barrido siglos atrás los pueblos que fundaron los españoles, empeñando en la fallida empresa generosos recursos, esfuerzos y sangre; en la misma forma aniquilaron misiones de doctrineros, esterilizando empeños y sacrificios. Y un cristiano pretendía mantenerse firme en la heredad de sus mayores levantando puestos, corrales de palmas, desafiándolos, ignorándolos.

Desde la lejanía, sobre palmeras convertidas en mangrullos, lo observaron detenidamente; y cuando largó a campo abierto el primer hato de vacunos, esa misma noche, jinetes consumados, aliados de las sombras, cayeron sobre ellos matando e hiriendo, arreando todos los que pudieron. Pero el hacendado buscó el desquite como no lo habían imaginado nunca: huyendo sin tregua, poniendo en juego toda su capacidad de rastreador, su astucia de cazador y su coraje, los sorprendió dos días después asando una ternera en un abra. Desde ese mismo instante aplicó la política que sería inalterable consigna de La Victoria: a tiros, sin pedir ni dar explicaciones, con puntería mortífera, el winchester de Ramón Ovejero dejó el tendal de indios muertos; los que se salvaron huyeron despavoridos llevándose una dolorosa y sangrienta lección.

Pero esperaron su oportunidad para devolver el golpe, y una noche de tormenta llegaron al rancho; el alerta de los perros puso en movimiento a sus moradores; una flecha certera alcanzó a un tropero; cuando repelieron el ataque, los tragaron las tinieblas; el herido murió tres días después, primera víctima de esa guerra sin cuartel entre La Victoria y los indios.

Rastrearon durante una semana hasta dar con la tribu, y otra vez los winchesters impusieron su superioridad, demostrándoles que el señor de La Victoria no se asustaba, dispuesto a quedar para siempre donde había plantado su rancho, vengando con creces cualquier acción que realizaran.

Pasaba el tiempo, largos meses de penurias, años de lucha sin alternativas.

Hizo viajes a Orán y Rivadavia, descubriendo que paulatinamente se poblaba la larga ruta, cadena que lo acercaba a la civilización.

Llevó puesteros, se multiplicaba la hacienda, y su orgullo innato de conquistador del desierto se vio coronado cuando al paso blando del mejor sillonero, regresó de Salta con la compañera que consideró ideal: se casó con Herminia Cerpa, como él nieta de montoneros, con el temple necesario para acompañarlo soportando una vida semisalvaje, dura, plena de peligros y sinsabores, de luchas constantes, sin cuartel, recibiendo y devolviendo golpes, en esa avanzada de colonización.

JOSE DEL CARMEN NIETO

Nació en Resistencia, Chaco. Se recibió de maestro y luego cursó la carrera de oficial en la Escuela de Gendarmería Nacional. Desempeñó varios cargos culturales al mismo tiempo que realiza una rica producción literaria. Entre sus obras figuran "Yarará", "El pan está en los surcos", "Río Tenco" y la ya citada novela "Tierra caliente".

AMBITO LITORAL

A lo largo y a lo ancho de su prehistoria, éste fue el país de los ríos como mares.
El país tiene en sus ríos un profundo emblema nativo. Su gran prefacio en el Plata. Su corazón, el Paraná. Su vasto ramaje arterial, el Uruguay, el Paraguay, el Pilcomayo, el Carcarañá, los anchos ríos patagónicos. El Plata, llamado "mar"; el Paraná, llamado "como el mar", son los que en el país corresponden vastamente a su pampa, como ella sin fin ni predominante movimiento, excepto por el latido del segundo —que de pronto, también como mar, dicta su virulencia— con sus cinco o seis kilómetros de anchura y sus afluentes parecidos: potentes, caudalosos.

Eduardo Mallea

De el país de los ríos como mares
Revista La Nación 1966

EDUARDO MALLEA

Nació en Bahía Blanca en 1903. En 1916 se trasladó a Buenos Aires donde se despertó su vocación literaria. En su vasta y profunda obra se alternan el ensayo y la ficción. Entre sus numerosas novelas citamos: "La bahía del silencio", "Todo verdor perecerá", "La sala de espera", "La red", "La ciudad junto al río inmóvil". Murió en Buenos Aires el 12 de noviembre de 1982.

A manera de mosaico poético, transcribimos tres poesías cuyo tema es el río Paraná.

CANTO

Carlos Alberto Débole

El olor de la luz. Las humedades
cubiles del helecho y de la ortiga,
constelación de monos y de plumas,
capital de tortugas y palmeras.
De esa viva redoma tan recóndita,
de esa vértebra verde, madre agreste,
zarpa el río su hosanna por América.
Se integra a los descalzos de su vera,
los del mismo color reconcentrado
de esa tierra escondida y alfarera.
Los de mano que trenzan el bejuco
y panes de mandioca redondean;
los arqueros de elástico sigilo
que desvelan el sueño del venado
aguzando en la piedra sangre y flecha.

Rompe nudos de lianas y anacondas,
empuja islas, caimanes, camalotes,
prueba en Guayrá su líquida garrocha.
Brasil y Paraguay son sus riberas.
Aún están los desnudos, los descalzos,
los lacios del asombro y de las máscaras,
con sus brujos, payés, sus exorcismos,
entre orquídeas y azules mariposas.

· ·

CARLOS ALBERTO DEBOLE

Nació en Buenos Aires el 18 de Noviembre de 1915.
Fundó las revistas "Hebe" y "Nexo", la peña "El cenáculo" y la Fundación Argentina para la poesía. Fue directivo de la Sociedad Argentina de Escritores. Entre sus obras figuran: "Canto al Paraná", "Memoria del futuro", "Poemas de piedra".

GEOGRAFIA

Carlos Obligado

Buenos Aires, allá el sur,
Rosario, allá por el norte,
río donde el sol se pone.
Largo talud de barrancas
que el verde alterna y el ocre;
parque eminente que al río
se asoma en pinos y robles.
Detrás, la llanura espléndida,
que tiende allá al horizonte
su manto denso de chacras
cuadriculado en verdores;
al frente, el Delta, sonrisa
de arroyos, prados y bosques,
y entre agua y tierra en la altura
grave macizo de torres.

De *"El poema de la Vuelta de Obligado"*

CARLOS OBLIGADO

Hijo mayor de Rafael Obligado, autor de "Santos Vega",
nació en Buenos Aires, 1890 y murió en 1949.
Miembro de la Academia Argentina de Letras, participó
activamente en la vida cultural del país. Entre sus obras
en verso, figuran "El poema de la Vuelta de Obligado",
"Patria", "Ausencia".

PARANA EN CRECIENTE

Florencio Godoy Cruz

Rotas las compuertas del cielo
e hinchadas las fuentes del abismo
desbordan las aguas
de su cauce
e irrumpen violentas, bermejas,
irascibles.

Viene nomás, dijo el islero
contemplando la lenta e
inexorable
creciente incontenible.

Viene nomás. En resignada
entrega
vio sumergido el ganado, la plantación,
el rancho.

Ausente el pájaro, el animal, el niño,
solo el silencio sobre el reflejo
líquido.

Erizado su lomo
ocre, cruel, enmarejado,
como revuelco de víboras
en celo
convulsivo reptil
de nuestro cauce,
invade costas,
sube las islas
carcome el suelo.

. . . .

FLORENCIO GODOY CRUZ

Nació en 1925 en la ciudad de Corrientes. Se recibió de maestro en su ciudad natal y cursó estudios superiores en la Universidad Nacional del Nordeste y en Córdoba. Sus obras poéticas "Invocación al Paraná" e "Invocación al grito" señalan sus principales fuentes de inspiración.

Santa Fe

SITUACION

José Pedroni

"Situación" es uno de los poemas de "Monsieur Jaquin". De esta obra el autor dice: "Reúno aquí todos mis trabajos sobre la colonización agrícola al entrar Esperanza en el centenario de su gloria".
La actual ciudad de Esperanza nació como colonia fundada por Aarón Castellanos, a orillas del río Salado, en la provincia de Santa Fe.

Paloma, espiga y ancla
a 31 grados y 25 minutos de latitud Sur
—línea del río y de la calandria—
y 60 grados y 56 minutos de longitud,
está mi tierra: Esperanza.

Es un pequeño punto palpitante
hacia el norte del mapa,
hoja de trigo verde,
corazón de la pampa.

JOSE PEDRONI

Nació en Gálvez, Santa Fe, en 1899 y murió en Mar del Plata en 1968. Aunque ejerció durante muchos años la profesión contable, en Esperanza, fue por sobre todas las cosas, poeta. Su producción literaria es muy vasta y entre sus obras pueden mencionarse "La Gota de agua", "Gratia Plena", "La hoja voladora".

VIENTO DEL NORTE

Alcides Greca

Los dos textos que se transcriben forman parte de "Viento Norte". Esta novela, cuya trama ha sido construida con episodios verídicos y personajes tomados de la realidad, tiene como nudo argumental la sublevación de los indios mocovíes ocurrida en San Javier, provincia de Santa Fe, en 1905.

EL VIENTO DEL NORTE

En los días estivales de San Javier suele soplar con violencia el viento del Norte. El polvo finísimo de las calles se levanta como una blanca humareda y patina de gris el verde esplendor de las frondas. Más que el viento parece la caricia caliente de una llama. Los árboles inclinan sus gajos, y las hojas, enroscadas o lacias, languidecen bajo un sol que arde en un cielo sin nubes. De su alto crisol chorrea una luz que deslumbra. Los pájaros, enloquecidos y mudos, vuelan cual sombras, de árbol en árbol, buscando un refugio. En los hombres y en los perros se nota la marca de un enorme cansancio. Sólo las víboras se deslizan silenciosas por los pastos buscando su presa. A veces, por las calles desiertas pasa un remolino haciendo girar la hojarasca y va a perderse, muy lejos, en el campo. Poco a poco, el cielo que se ha vuelto lechoso, se puebla de blancos vellones que el viento amontona en el Sud. Día tras día pasan las nubes en caravana interminable, hasta que una tarde el horizonte se pone sombrío y opaco; de su seno surge un negro nubarrón que crece y avanza. No tarda en sentirse el rodar lejano del trueno. Relampaguea. Un enorme velo se tiende en las alturas. El rayo rompe la niebla y la tempestad estalla. Son las blancas nubes de ayer que vuelven oscuras y torvas, con sus entrañas cargadas de luz y de cólera.

Segunda parte. Cap. V.

LA PESCA DEL YACARÉ

Los mocovíes hicieron alto sobre la costa del Palmar. Un sol bajo, aún iluminaba el perfil ondulado del boscaje en la orilla opuesta, y algunos de sus rayos, al filtrarse por la ramazón, tejían caminos de oro sobre el agua quieta, bajo cuya aparente tersura el yacaré asoma su ojo avisor, sediento de presa. Clavaron sus chuzas en la arena y, después de registrar el carrizal, por temor a las víboras, se sentaron en cuclillas, a la manera india, bajo un chato aromo de mucha sombra.

Los tordos y los boyeros trinaban en la mañana saludando a la luz que abría las fraganciosas flores que crecen entre el pajal. Formando un marco al limpio espejo del arroyo las gallardas palmeras asomaban sus plumachos sobre los ceibos de retorcidos troncos, cuyas flores semejaban mariposas de fuego asentadas sobre la fronda verde gris; los altos timbós abrían sus ramas en abanico bajo el cielo etéreo, y de los laureles silvestres colgaban, a manera de tul, las trepadoras. En parte la arboleda avanza tanto sobre el riacho, que constituía un solo verdor con el camalotal de las

121

orillas, donde las victorias regias tendían sus fuentes circulares y exóticas. Algunos pelotones grises de mosquitos, rodando sobre los juncos, daban la sensación de inquietud en medio de la serena majestad de la hora y el paisaje.

Un chajá levantó su grito en la lejanía y fue como un alerta para todos los salvajes moradores de la isla.

Los indígenas permanecieron un largo rato en silencio. En la noche transcurrida, de dura y provechosa labor, habían lanceado varias docenas de nutrias y carpinchos en el estero cercano. Quitadas las pieles, que permutarían con los blancos por caña, yerba o pólvora, y que expusieron al sol, bien estaqueada sobre el albardón del bañado, se habían dirigido al arroyo para pescar yacarés, cuya dura caparazón, que rebota las balas, no compran los extranjeros, pero que ellos persiguen porque llevan oculto entre sus carnes, en pequeñas bolsitas, el almizcle de fuerte perfume que sirve para conjurar los daños, las brujerías y toda clase de enfermedades.

. . . .

El aparejo consistía en una estaca de palo duro, de casi una cuarta de largo, afilada en punta en sus extremos. Recubierto con bofe de yeguarizo o vacuno, que, por su esponjosidad sobrenada en el agua, se arroja de noche al arroyo, asegurándolo con una soga larga y fuerte a los árboles de la costa. El yacaré que no tarda en olfatear el alimento, lo engulle con avidez juntamente con el palo, que se le atraviesa en las entrañas. A causa de que sus dientes son abiertos y punteagudos le es difícil mascar la cuerda y queda atrapado.

. . . .

Cuando llegaron bajo los ceibos, pulsaron las cuerdas. No había fallado una sola. Los yacarés estaban perdidos. La tranquila superficie del riacho se agitó violentamente, y dos o tres saurios enormes asomaron sus monstruosas cabezas, mientras sus colas chapoteaban con estrépito.

Afirmándose contra los troncos, los indios fueron recogiendo poco a poco los lazos, hasta que se vieron aparecer los lomos verdes oscuros de los reptiles sobre la playa. Medían algunos dos o tres metros de largo y revolcábanse furiosos sobre la arena, abriendo desmesuradamente la horrible boca. Sin largar las cuerdas, los mocovíes se acercaron con cierta cautela, y uno, dos, tres chuzazos seguros, dados en la cabeza, por debajo de la recia cáscara que les recubre la parte superior del cuerpo, dejáronlos inmóviles, aunque no muertos; porque el yacaré, aún a las muchas horas de haber recibido balas y tajos, revive inmediatamente si cae al agua, recobrando su habitual agilidad.

Tercera parte. Cap. II.

ALCIDES GRECA

Nació en San Javier, Santa Fe, en 1889 y murió en Rosario en 1956. Juriconsulto y escritor, participó en la vida política del país y en el periodismo. También fue docente secundario y universitario. Escribió diversas obras de ficción, como "Viento Norte" y "La Torre de los ingleses".

Entre Ríos

LUZ DE PROVINCIA

Carlos Mastronardi

Un fresco abrazo de agua la nombra para siempre;
sus costas están solas y engendran el verano.
Quien mira es influido por un destino suave
cuando el aire anda en flores y el cielo es delicado.

La conozco agraciada, tendida en sueño lúcido.
Le gusta ir contemplando sus abiertas distancias,
sus ofrecidas lomas que alegran este verso,
su ocaso, imperio triste, sus remolonas aguas.

Y las gentes de ahora, que trabajan su dicha,
los vistosos linares prometiendo un buen año,
las mañanas de hielo, los vivos resplandores.
y el campo en su abandono feliz, hondura y pájaro.

Las voces tienen leguas. Apartadas estancias
miden las grandes tierras y los últimos cielos,
y rumores de hacienda confirman lo apacible,
y un aire encariñado, de lejos, vuelve el trébol.

Gracia ordenada en lomas y en parecidos riachos.
En su anchura, porfían los hombres con la suerte,
y esperan suaves frondas y unas tardes eternas
y los dones que piden a los cielos rebeldes.

Preparando cada uno de los colores del campo,
capaz el brazo, justa la boca, el pecho en orden.
Para el ganado buenos pastajes y agua libre,
creciendo en paz la bestia, la tierra dando al hombre.

Lindo es mirar las islas. Una callada gente
en cuyos ojos nunca se enturbia el claro día,
atardece en sus costas o cruza con haciendas,
dichosa en la costumbre, y en la amargura, digna.

La vida, campo afuera se contempla en jazmines,
o va en alegres carros cuando perfuma el trigo
cortado, cuando vuelve la brisa a trenzas jóvenes
y el ocio, en la guitarra, menciona algún cariño.

Se puede, es un agrado, saludar la esperanza,
que suele quedar sola, y los medidos actos
del hombre que se afirma con la reja en la escarcha
o rige noche y día la marcha del ganado.

. . . .

CARLOS MASTRONARDI

Nació en Gualeguay Entre Ríos, en 1901. Colaboró en la
revista "Martín Fierro". Su primer libro "Tierra amane-
cida", es evocación nostálgica de su comarca natal.
El amor a la tierra da vigencia a su poesía. En "Conocimiento de la noche" (1937), se incluye el celebrado
canto "Luz de provincia".
Como ensayista ha reunido diversas páginas bajo el título "Formas de la realidad nacional" (1961).
Murió en Buenos Aires en 1976.

ROMANCE FIEL DE ENTRE RIOS

Rosa Sobrón de Trucco

Un temblor azul de alondras
iniciala mi destino.
Destino de tierra y agua
porque nací en Entre Ríos.

La infancia que se me enreda
entre cardo y espinillo
viste de nubes los ojos
antiguos en que palpito,
qué ímpetu de pampero
y aliento tibio de niños.
Llanos de verde estatura
para el llanto y el amigo.
Cinta de plata estrellada
por el agreste camino,
y sueño de voces nuevas
en el arroyo cansino,
cansino de aguas umbrosas
que sueñan sueños de río...
Despeinados sauces claros
entre relente y rocío.
Primavera colibrí
para el aromo festivo
de amarillo algodonoso.
Rumores para el cariño...
Un temblor azul de alondras
iniciala mi destino.

126

Destino de tierra y agua
porque nací en Entre Ríos.

El llano se hizo pasado
y el arroyo pensativo
se me entró en el alma toda
trasnochada de infinito.
Y un rebelde palpitar
de mi corazón cautivo,
eriza la sangre clara
de dolidos espinillos.
Fue trasplantada la sangre
a la colina y el río...
Y un hilo de madreselva
se confundió en un gemido
grávido de camalote,
de ceibo coloreadito,
de calandrias y zorzales
que me alargaban su nido.
Y la ciudad ondulada
fue ondulando de a poquito
mi piel casi horizontal
de tanto cardo espinillo.
...Supe que el río es amor
en agua azul trasfundido,
para prender en el alma
un sueño de amor sin mito.
Un sueño de barcarolas,
de hombres claros y de niños,
con cielo siempre en los ojos
y un barrilete tendido...
Y así bien pronto en el alma
—suma de arroyo y de río—
sentí fraternos crecer
el ceibo y el espinillo.
Rojo para los anhelos
transparentes de mis hijos.
Gris nostálgico en mi entraña
que en verde-gris ha nacido.

Un temblor azul de alondras
iniciala mi destino.
Destino de tierra y agua
porque nací en Entre Ríos.

De *"Poemas con sol y llanto"*

ROSA MARIA SOBRON DE TRUCCO

Nació en Nogoyá, Entre Ríos. Es profesora en Letras y
ejerce la docencia.
Entre sus obras figuran: "La espera iluminada", "La voz
de la tierra en Gaspar Benavento", "La estación — Estampas de mi pueblito".

ROMANCERO CRIOLLO

León Benarós

En esta obra compila el autor la totalidad de lo que en materia de romances de tono popular ha publicado. Constan así: "Romances de la tierra" (1950), "Romancero Argentino" (1959), "Romancero de Infierno y Cielo", "Figuras y episodios nacionales" (1971) "Romances paisanos, Trabajos y oficios criollos" (1972). Hemos seleccionado "El Palacio San José" donde Benarós describe la residencia de Urquiza, que por ley 12.261 del 30 de agosto de 1935 fuera declarada Museo y Monumento Nacional, por lo que significa artística e históricamente en el patrimonio del país.

EL PALACIO SAN JOSE

Don Justo José de Urquiza
se mandó hacer un palacio
entre las verdes cuchillas
de su país entrerriano.
Concepción del Uruguay
estaba a un tiro de lazo:
¿qué son unas pocas leguas
para una hombre de a caballo?
En memoria de su padre
"San José" lo ha bautizado.
Por veinte años le fue albergue,
hasta que allí lo mataron.

Era casa de señor,
soberbia de criollo fasto,
mezcla de quinta porteña
y estancia en medio del campo,
de retiro de imperante
y de fuerte desvelado.
La sacó de su cabeza
un arquitecto italiano.
Le alzó dos torres cuadradas,
le sembró estatuas de mármol,
le soñó una columnata,
de puro estilo toscano,
con una arcada graciosa
que le festoneaba el patio,
en donde el cielo hallaría
dique y donoso recuadro.
Para gusto de la luna,
le trazó senderos anchos
y le lunó una avenida
con magnolias a los lados.
Le puso dos pajareras
llenas de alboroto y pájaros
y una fuente entre las dos,
toda de hierro forjado.
Un jardinero de Botnia
—nación, pero muy baquiano—
le inventó un jardín francés,
lindamente dibujado.
¡Cómo lucía en el alba,
cuando el sol iba apuntando,
ese color rosa fuerte
de semejante palacio!
La fábrica es un prodigio
de miradores cuadrados.
Entre tanta fronda verde,
su claror es un descanso.
La sala de los espejos
multiplica los espacios.
El comedor es cisterna

de frescor, hondo y callado.
Los billares entrechocan
sus orbes amarfilados
y el patio de honor batalla
combates de ocho cuadros.
Afuera, un blancor de bustos
con sus diálogos de mármol:
Julio César, Napoleón,
Hernán Cortés y Alejandro.
La pila de la capilla
deslumbra de albor pesado.
El gran coro de madera
de tallas es un milagro.
Más allá, cuartos de huéspedes
y parrales enjoyados
y un gran lago artificial,
criollísimo y veneciano.
El palomar, en casillas
excede seiscientos tantos.
En el oratorio lloran
dos angelitos de mármol,
y un sauce lacio se amustia
desde aquel día nefasto
en que mataron a Urquiza,
la tarde de un Lunes Santo.

De "Romances de Infierno y Cielo. Figuras y episodios nacionales."

LEON BENAROS

Nació en Villa Mercedes, provincia de San Luis, en 1915. Además del "Romancero criollo" publicó "Versos para el angelito" (1958) y "Décimas encadenadas" (1962) entre otros.
Los romances de Benarós pueden vincularse por su temática y forma con los "Romances del Río Seco" de Leopoldo Lugones.

Corrientes

CHE RETA

Gerardo Pisarello

Che reta, "mi pueblo" en lengua guaraní, es un conjun-
to de relatos a través de los cuales el autor, Gerardo
Pisarello, no sólo evoca su niñez, sino que fundamen-
talmente realiza una admirable descripción del paisaje
correntino. En "Saladas" viejo pueblo "fundado en la épo-
ca de la colonia" se ubica esta visión retrospectiva de
lugares, costumbres, animales y plantas de Corrientes.
"Los Mamangá" es uno de los cuarenta y cinco cuadros
evocativos que componen la obra.

LOS "MAMANGA"

Era un domingo, y uno de los hermanos propuso ir
a Las Lomas, a una quinta de una familia conocida. La
proposición encontró una inmediata acogida en todos
nosotros, lo que no constituía ninguna novedad por otra
parte, ya que era aquel un sitio donde íbamos con preferencia. Había más de un motivo para despertar nuestro interés y nuestra preferencia. Estaban: el largo callejón que se abría entre talares espinosos y sombríos,
con un aire de selva misteriosa; una vieja quinta de na-
ranjos, donde los pájaros más queridos para nosotros
como los zorzales de pecho colorado se refugiaban, escapando de la persecución del pueblo; una laguna que,
si bien no era muy grande, tenía el privilegio de con-
vocar entre sus juncales tupidos y sobre sus embalsa-

dos, a las aves acuáticas de la zona, y hasta algún yacaré que asomaba la cabeza en el agua, mientras alrededor desaparecían carpinchos y vizcachas, a la espera
de la noche para aparecer en la costa. Y además, venía a agregarse, si era verano, la chacra con sus cultivos variados.

En aquel camino de Las Lomas, se cruzaba, entre
plantaciones de tabaco. Las hojas, ásperas y desme-
didas, de esta planta, se podían tocar al borde de los
alambrados. Las plantaciones cubrían en largas filas,
alineadas de metro en metro, gran parte de la superficie de las chacras. Más al fondo y ya distante del camino, como para resguardarlos de los que pudieran
sentirse tentados por sus espigas, confundían sus cañas erguidas coronadas de flores amarillas, los maiza-
les; y arrastrándose en viboreantes guías, por las proximidades, inundaban de verdor los batatales de le-
chosos jugos; y sin apartarse mucho, hacían otro tanto
los sandiales, sin conseguir esconder entre las calvas
guías el dispendio de sus frutos.

Aquel domingo llegamos a la casa de nuestras ha-
bituales visitas, y la encontramos transformada en un
verdadero campamento de hojas. Eran hojas de tabaco
que ensartadas en alambre, pendían de otros en el patio, bajo los corredores y hasta metidos en las piezas.
Unos comenzaban a secarse a la intemperie del sol,
otros, oreados ya, se ponían al resguardo de la sombra. Todo el ambiente de la casa respiraba un fuerte
olor a tabaco ardido. Por donde se intentaba caminar
salía al paso este colgaje de hojas.

Concluidos los consabidos saludos de circunstancias, arrancamos con dos muchachos más que eran de
la casa, hacia la chacra primero, con la intención de seguir luego a explorar la quinta.

Sin muchos miramientos, tiramos directamente al
sandial, pues nos apetecían unas sandías jugosas para
calmar la sed que nos había dejado la caminata del viaje. No sabíamos cuál elegir; al asomar unas al lado de
las otras, nos parecían todas buenas. Atraían éstas, con

su color verde oscuro con listas semejantes a cuero de víboras, las de más allá, con su verde clarito, tirando a cogollo de naranjo. En nuestra indecisión, optábamos por percutir con los dedos los vientres de las sandías, para dejar las que todavía sonaban a verde y decidirnos por aquellas que con un sonido sordo nos prometían un estado de sazón.

Apremiados por iniciar cuanto antes la excursión, el disfrute de la sandía fue, más bien, reunión preparatoria de nuestras operaciones. Según uno de los muchachos de la casa, en la quinta los nidos de los zorzales colorados estaban ya con pichones y si lo queríamos como otras veces, los podíamos bajar. El otro, que pareció interesado a su vez en ofrecernos algo digno de su amor propio, habló de las palomas torcazas, que de las ramas de un árbol seco acostumbraban bajar en un montecito que se encontraba más al fondo de la quinta.

Apenas si hubo necesidad de andar un poco para llegar al montecito. Crecía en el límite de la quinta, al otro lado del alambrado que servía de separación entre la quinta y un potrero pelado de toda vegetación que no fuera pasto. El montecito, a decir verdad, era insignificante. Un conjunto de talas que se apretaban, impidiendo la entrada al interior, donde levantaban sus copas algunos árboles: unos lapachos y un timbó. Allí en medio estaba el árbol seco.

Ahora era cuestión de no espantar a las palomas y poder acercarse sin que se dieran cuenta. El que había indicado aquel lugar, se ofreció también para guiarnos por un camino que daba, según él, en una picada, y que conducía directamente al sitio en que se levantaba el árbol de las palomas. Era la única forma de llegar sin que advirtieran nuestra presencia. Además, nuestra escopeta cargaba un cartucho que requería cierta proximidad, a fin de asegurar el tiro.

Abrió camino el muchacho, y atrás, precedidos por uno de mis hermanos con su arma de caza, lo seguimos los demás. Para atravesar las plantas de tala hubo que agacharse y evitar sus ramas, las que al menor descuido clavaban sus espinas. La picada se abría unos pasos para volver a perderse en un camino que se arrastraba bajo una serie de pequeños arbustos, todos espinosos.

Seguimos avanzando con dificultad, ya que lo hacíamos agachados y retirando cuidadosamente aquellas ramas para no hacer ruido ni ser arañados. Así anduvimos, hasta que la proximidad de los árboles dio un poco más de libertad a nuestros movimientos. Ahí se hicieron las exploraciones del caso, tratando de ver dónde estaban las palomas. Fue fácil verlas; permanecían tranquilas y confiadas en las ramas secas, tal como lo asegurara, antes, nuestro guía. Algunas estaban tan juntas que, con un certero tiro, las municiones fácilmente podían hacer blanco en ellas.

El guía y mi hermano volvieron a ponerse en marcha cautelosamente. Nosotros quedamos observando, sin hacer ninguna clase de ruido. Vimos cómo la avanzada echaba cuerpo a tierra para pasar arrastrándose bajo unas ramas que les cerraban el paso. Vimos todavía cómo apuntaba el caño del arma en dirección al blanco. Pero en ese momento el guía dio un grito y se levantó. Mi hermano, como si eso hubiera sido una señal, lo imitó; bajó el arma y salió escapando. "Qué pasa" inquirimos nosotros, que no salíamos de nuestro asombro. "Los mamangá", alcanzó a decir uno de ellos, mientras pasaba a nuestro lado. Y antes de que tuviéramos tiempo de apreciar el peligro, como impelidos por un ruido de motor, unos bichos negros, cascarudos, zumbaron alrededor nuestro y se lanzaron acometiéndonos. Cada contacto con nuestro cuerpo era un pinchazo tan doloroso, que enloquecidos nos volvimos atropelladamente por el camino para desandarlo, esta vez a los saltos y sin acordarnos ya de las espinas.

Los mamangá nos persiguieron hasta el límite del monte. Libres al fin del azote que tan inesperadamente nos cayera, nos encontramos todos en el descampado cariacontecidos y quejándonos de las picaduras. Comenzamos a descubrir nuestras heridas. En cada sitio en que había penetrado el aguijón del mamangá, había un punto de orificio sanguinolento, centro que se iniciaba hinchando la piel. Tan mortificados y tan mal nos sentíamos, que tuvimos que abandonar ese domingo aquella excursión de Las Lomas para volvernos a casa en busca de remedios que nos aliviaran.

Habíamos intentado cazar palomas torcazas, pero los mamangá nos cazaron en la trampa de un nido hecho bajo tierra.

GERARDO PISARELLO

Nació en Saladas, provincia de Corrientes, en 1898. Ejerció la docencia en la campaña y posteriormente se radicó en nuestra ciudad. Ha publicado obras narrativas como "Ché reta", "Pan Curuica" y "Las Lagunas".

ELOGIO AL GUARANI

Armando Díaz Colodrero

Lengua de mi patria chica
en que inicié mis romances
te di mi amor a escondidas
para evitarte un desaire.

Tienes el dulce embeleso
de un suave caer de la tarde
cuando se siente en el pecho
el aquietar de la sangre.
Los avá * y las guainas * te hablan
con el doncel de mis lares,
y el chamamé te requiere
para expresar sus cantares.

Guaraní, lengua florida,
la de los giros süaves
que haces llorar acordeones
con tu expresión inefable.

Te persiguen en la escuela
y te desprecian los grandes,
pero has sabido vencerlos
dando nombre a los lugares.

Guaraní, cuando te oigo
siento inquietud de romances;
en el purajhei * sos beso,
en el sapukai,* coraje.

137

Guaraní, te llevo adentro,
sos mi aliento, sos mi sangre,
sos mis canciones de cuna
donde me arrulló la tarde,
sos el lenguaje aprendido
cuando empecé a enamorarme.

Compendias toda mi vida,
desde el primer balbucearte
hasta el llanto que se esconde
por no parecer cobarde.
Sos mi risa de muchacho,
sos mi ardor de hombre ya grande.

Guaraní, yo te venero
como venero a mis manes.

De *"Goyanas"*

ARMANDO DIAZ COLODRERO

Nació en Goya, Corrientes. Médico higienista, une a su destacada labor científica una vasta obra literaria. Mencionamos entre otras, "Mombirí", "Goyanas" y "Corrientes: fascinación y leyendas".

* avá: voz guaraní, paisano
* guaina: voz guaraní, muchacha
* purujhei: voz guaraní, canto
* sapukai: voz guaraní, grito

AMBITO PAMPEANO

"La plenitud de la pampa es tal que no defraudará a nadie que quiera comprobar si corresponde a su fama, pero bien podría depararle una sorpresa a quien se la imagine toda igual y pareja, pues en su dilatada superficie se encuentra de todo. Hay sierras, que en los bordes del consabido mar de verdura se levantan como acantilados; hay restos de un bosque que cubría en otra época su litoral paranaense; hay inmensas lagunas, paraíso de las regatas y de la pesca; hay médanos de olas movedizas y sus dilatadas costas marinas".

Roberto Ledesma
De "Una geografía argentina vista por poetas"

RADIOGRAFIA DE LA PAMPA

Ezequiel Martínez Estrada

En viaje de un pueblo a otro, no hay nada en medio. A los lados del camino, osamentas pulimentadas, de huesos limpios y blancos. Es el esqueleto del cuadrúpedo —sobre el que se posa el pájaro— semejante a una jaula vacía. Sólo para el caballo que se encabrita y quiere disparar espantado, expresa algo el esqueleto que se conserva intacto como si durmiera libre, al fin de la vida.

. . . .

Llegar es el placer, y no andar; esta vez la posada es mejor que el camino, y lo anuncia a lo hondo del que marcha, la quietud de la pampa, el vuelo efímero y desolador del pájaro, la carroña supina.

. . . .

Se sale de un pueblo y se entra a otro borrando tras los pasos lo que se deja atrás. Se marcha sin recuerdos y es más fácil seguir adelante que regresar. El viajero nunca vuelve la mirada, si no es de temor, y lo que le atrae es algo que está más adelante del horizonte: el punto de llegada. Lo que recuerda: el punto de partida. Todo hombre de llanura es oriundo de otro lugar. El árbol de esta llanura, el ombú, no es oriundo de ella. Es un árbol que sólo concuerda con el paisaje por las raíces; esa raíz atormentada y en parte descubierta, dice del viento del llano.

....

Pero sabemos bien que un viento menos fuerte lo diseminó y que se detuvo al borde de su clima. Un poco más al sur hubiera muerto. Ahí echó raíces extensas y poderosas como el viento. Quedó convertido en pulmón, bajo un cielo inmenso de aire sutil y de luz.

El ombú es el árbol que sólo da sombra, como si únicamente sirviera al viajero que no debe quedarse y que reposa. Su tronco grueso, recio y bajo, es inútil, esponjoso, de bofe. Perfecto órgano del aire, respira la tierra por su parénquima vegetal. No se extrae de él la madera, y Virgilio no lo hubiera cantado en las Geórgicas. No pueden hacerse de él vigas para el techo, ni tablas para la mesa, ni mangos para la azada, ni manceras para el arado. No tienen madera, y más que árbol es sombra; el cuerpo de la sombra. Sus hojas son tósigas, pero la raíz que es la tierra, suele ofrecer cavidades de gruta y asilo al que va huyendo. El ombú es el símbolo de la llanura, la forma corporal y espiritual de la pampa.

EZEQUIEL MARTINEZ ESTRADA

Nació en San José de la Esquina, Santa Fe, en 1895. Autor de una obra poética no muy vasta aunque de singularidad calidad, se destaca por sus ensayos como "Radiografía de la pampa" laureada con el Premio Nacional en 1933 y "Muerte y transfiguración de Martín Fierro". Murió en Bahía Blanca en 1964.

La Pampa

CALDEN

Carlos A. Rodrigo

Una lluvia de estrellas celestes
te baña desde siempre
y un rocío dorado de sol
dormita sobre el hongo esmeralda
de tu copa.

¡Caldén!... ¡Mangrullo de la pampa!...
Sombra brindaste al guerrero heroico
y fuiste leña y fuego
de la indómita tribu de Pincén.

¡Caldén!...
Como una mano suave tu hosco gajo
humilde se brindó
a la tibia casita de un hornero
o al plumaje sutil de una torcaz.

Vos viste la ceniza del año treinta y dos,
la nieve brutal del veintitrés
y la sequía tenaz de tantos meses
de lucha yerma, de sudor, de llanto,
de manos agrietadas, de cansancio,
de ese sabor amargo de impotencia
que frustró tantas esperanzas gringas.

Vos sos eternidad...
Vos ves pasar la historia lentamente,
y si algún día rompieras tu silencio
dirías de Payné, Mariano Rosas,
del mismo Yanquetruz, de Bairoletto,
del Pietro, aquél del verso de Apachaca
y de La Pampa de hoy... todo progreso.

Dirías del asfalto que hoy te alcanza,
de la luz mercurial que te ilumina,
de la fuerza motriz que en poco rato
transforma el trigo en satinada harina...

¡Caldén!...
Hoy La Pampa construye rascacielos,
vive el ritmo que el mundo nos impone,
y aunque el rancho de adobe
no busque tu reparo,
vos quedarás, cual centinela alerta,
mientras haya un hornero entre tus ramas
o una torcaza que precise nido.

De *"Flores Marchitas"*

CARLOS A. RODRIGO

Nació en Maisonnave, La Pampa, en 1938. Sus trabajos
se han ido publicando en periódicos de la provincia y en
la revista "Rincón Realiquense". En sus composiciones
desfilan temas sencillos con los que obtiene resonancia, popular por el estilo y la riqueza de imágenes.

Buenos Aires

LA BALADA DEL RIO SALADO
(fragmento)

Vicente Barbieri

Era en la infancia, en juncos y rocíos,
cuando lo vi pasar, arrodillado.
Mojaba soles y castillos fríos
en relatos de tiempo lloviznado.
¡Ay!, ya sé que mi juego enamorado
fue de tiempo mejor, tiempo de ríos.

Y su sabor, amor de vieja andanza,
doliendo sigue en tiempo transferido.
En hierro antiguo y pesadumbre avanza
por un correr callado y dolorido
en grises campos y poniente ardido,
con mi ribera y puente de esperanza.

¡Qué poniente mejor, qué resignados
sus sauces de oración, líquida pena,
sus cirios, en la noche, con ahogados,
su fábula y pasión, sobre la arena,
y su estrella magnífica y serena
sobre luces de peces acerados!

Yo miraba sus cosas, sus trigales,
sus doloridas amapolas, vivas,
y sus aguas verdosas y carnales,
briznas y mariposas fugitivas,
insectos musicales, siemprevivas,
espumas de verdor, y pedernales.

De *"Corazón del Oeste"*

EL RIO DISTANTE
(fragmento)

Vicente Barbieri

No podía dejarse de hacer referencia de los días difíciles de aquel verano de 1917. Grandes mangas de langostas arrasaban los campos, se metían en los patios y en las huertas, dejando, en pocos minutos, los árboles esqueléticos, las quintas calcinadas. Los durazneros mostraban, como atacados por algún mal terrible, los carozos al aire y aún pegados a las ramas. Brillaban al sol, como con alas de oro, aquellos infernales bichos tan bonitos, y tan terribles. Su figura verdaderamente bíblica, lo cambiaba todo. Aquello no era ya ni la casa, ni la huerta, ni...

Un ruido extraño de tantas alas y tantas patas con golpes de resortes, venía del aire y todo tomaba ese sabor acre de langostas sobre los pastos, sobre las cosas, sobre las gentes. ¡Ni pensar en sandías y melones! Todo fue pasado por la invasión. Tan sólo los pájaros, y sobre todos las gaviotas, celebraban tamaña abundancia de caza venida, para ellos, como bendición del cielo.

En filas perfectamente ordenadas, avanzaban, subían, en incansable marea, las "saltonas", que aún no volaban, y que eran las peores; lo trepaban todo, hasta nuestros bolsillos, en las paredes, por las patas del viejo caballo "de los mandados" allá en el palenque... Caían en los pozos de agua. Y hasta en el sueño seguían andando, pues así se las veía después de un día de terrible sol y langostas y más langostas; en las manos, en la conversación, en el pensamiento...

Marchaban brillando al sol, con un ondular amarillento verdoso, y se movían siempre hacia adelante, y hacían mal en los ojos...

La Defensa Agrícola discutía barreras y enviaba "langosteros" que llegaban en flamantes sulkys de ruedas amarillas. Los inspectores usaban anteojos negros contra los rayos del sol y daban, a grandes voces inhábiles consejos sobre "esto" y sobre "aquello", mientras los agricultores, sin escucharlos, batían tachos y agitaban banderas de arpillera, invadidos, acosados por el interminable ejército.

Se multiplicaron los pleitos vecinales, y familias enteras se atacaron horquillas en mano, en los límites sembrados: cada uno arrojaba su manga de langostas donde podía, con tal de salvar las cosas entrañables de sus "pobres territorios". Las gallinas, hartas de acridios, comenzaron a poner huevos con sabor desagradable. Dos años duró la plaga y no dejó "ni los troncos". Mr. Hinds repasaba su repertorio de interjecciones arrojadas a las intrusas, que no habían respetado ni los límites privados de su casilla.

Difíciles atardeceres encontraban a los colonos enfrentados con la plaga, que crecía como una maldición inevitable. Y cuando las últimas mangas de langostas se alejaron quizá para no volver en muchos años, todo estaba abolido en aquellos campos. Todo ceniciento, todo estéril, arrancado como por la airada mano de Dios.

Con un profundo suspiro, cada uno se dijo que había que empezar de nuevo. Y en el erial crecían, sin espera, la maleza, las privaciones y las deudas.

VICENTE BARBIERI

Nació en Alberti, Provincia de Buenos Aires, el 31 de agosto de 1903 y murió en la Capital Federal en 1956. Colaboró en numerosas publicaciones nacionales y extranjeras. Escribió obras en prosa y verso y cuenta con una extensa labor como periodista y crítico literario.

En su obra "Corazón del Oeste" (1942) figura su magistral evocación "La balada del río Salado"; en "El río distante" evoca su niñez. "Desenlace de Eudimón" (1951) es designado el mejor libro de prosa del año. Con "El bailarín" (1950) recibe el 1er. Premio Nacional de Poesía.

EL CHINCHORRO NAUFRAGO

Elías Carpena

Desde el muelle, con las manos a manera de trompeta, la señora Victoria gritaba su inquietud. "¡Antenor!... ¡Aquiles!..." A poco se le oía en un clamor: "¡Hijo!... ¡Hijo!..." y al comprender que su demanda estaba en nuestros oídos, agregaba: "Muchachos, par de demonios, ¿por dónde andan?" Su voz salía clara, fuerte y alargada. Venía hundiéndose o flotando sobre unas aguas confusas, con ondulaciones bravas y temibles para el pequeño chinchorro en el que íbamos y, al doblar el recodo y taparnos las cañas y los mimbres, el llamado nos alcanzó pleno. Dijo, extrañado, Antenor:
—¡Qué pasará que nos llaman!

Habíamos ido orillando la isla para escaparnos sin ser vistos en la fuga, pero la intuición materna ya nos desbarataba el plan de navegación. Desde muchos días antes organizábamos una excursión hasta el centro y fondo de la isla La Misteriosa, lugar todavía inhollado por el hombre actual. En tanto transcurría el tiempo aún más se nos metían y se nos hacían y se nos hacían reales las creaciones que imaginábamos, las cuales nos iban ganando el ánimo y nos ponían en un avasallador afán de conquista. ¿Qué secretos, qué misterios, qué mundo habría en lo hondo de la isla? Urdían nuestras inquietudes los sucesos más temerarios y nos obsesionaba la idea fantástica de exploración.

Aquellas noches en que los pescadores no salían de pesca al Río de la Plata, tomábamos al tío Antonio por cuenta nuestra y lo trasladábamos donde nos placía. El sitio elegido no era otro que la alta galería desde donde gozábamos del paisaje del río y de aquel pujar y rugir de las aguas contra las riberas. Se veía enfrente, entre la maraña vegetal, de qué manera surgía una luna grande. El cielo se ponía de un azul brillante. Entonces la isla parecía estar ardiendo. Mirábamos rojas las frondas arbóreas, como en llamas. De pronto, como si luchara por desasirse de las ramas fulgurantes que semejaban tenerla apresada, iba la luna ascendiendo limpia.

El tío Antonio, sumergido en el paisaje, decía: "¡Quién fuera poeta! ¡Esto es para ser cantado!" Luego de su expresión se ponía de codos en la baranda, se abrían sus manos en las mejillas y a ojos entornados comenzaba la improvisación del cuento, la creación de la leyenda. Su imaginar tenía frondosidad y era fluido su decir.

De ahí que nos diera originales asuntos. Preferíamos aquellos que tuvieran por escenario la misteriosa isla. Con las narraciones tan de nuestro gusto, nos anarquizaba el instinto y ardíamos en curiosidad. Su narrado nos aseguraba esto: —Los indios vivían aquí en este suelo, en este monte, pero allá, en lo hondo, se escondían sus viviendas. Yo estuve en ellas. Primero iba de fracaso en fracaso, hasta que exploré por el arroyo del recodo y hallé la choza donde se guarda la momia del mago de la tribu y la piedra pulida al espejo. Por esa piedra sabía quiénes surcaban los ríos, las islas y quiénes eran los que iban en paz o en son de guerra. Me encontré con una ciudad tapada por las lianas y resaca que depositaban las inundaciones. Desenterré canoas hechas de troncos de lapacho, infinidad de arcos y flechas y hasta colmillos de tigres perforados para confeccionar collares. Pero han de saber que nada de lo que allí existe se puede tocar, y si alguien se adueña de algo, a ese pobre se le cierran todos los caminos, los de agua y los de tierra, y de allí no sale nunca jamás, porque el alma del mago custodia celosamente esas riquezas. Ustedes, Antenor y Aquiles, ni en sueños piensen en llegar a La Misteriosa.

Tanto interés mostrábamos por las narraciones y tan a pie juntillas creíamos lo sucedido en ellas, que un día, el padre de Antenor, don Celedonio, como nos revolucionaba la imaginación, debió echarle un desmentido, diciéndole: —Les estás metiendo a los muchachos mucha fantasía y comprendo que ha de ser para mal, porque son audaces, y a todo se atreven: lo tuyo los hará perder. —Y a nosotros nos advertía: —Lo que cuenta tío Antonio no se encuentra en el monte: son inventos de él... cuentos nada más.

Pero a nosotros ya nos había ganado la idea de una exploración: debíamos ir en el chinchorro por el río Bravo, hasta muy cerca, y por el arroyo del recodo, que divide la isla, aprovechándolo crecido, meternos y navegar a espadilla hasta dar con el sitio encantado.

Ahora lo que creímos de mala suerte nos había detenido. Volvimos a escuchar, potente, la voz de la señora Victoria. Aquella voz como la superficie del río no estaba en la serenidad. La oíamos pedir: "¡Antenor... Antenor...!". Y tras el nombre del hijo, reclamaba: "¡Muchachos, vuelvan que el río está picado!". Algo decía del viento, que su furia metía el Río de la Plata en nuestro río. ¡Nos desarmó! El viento sonaba impetuosamente, removía las frondas y sembraba la confusión en las aguas. Pero a este mismo viento silbador lo conocíamos y nunca le temimos: lo afrontábamos con una inocencia temeraria. Nos encogía la advertencia, pero aún más nos encogía el desaliento en nuestro ánimo, producido por la poca suerte de haber estado al alcance de su grito, y justamente cuando bordeábamos el recodo y nos aprestábamos a emprender la deseada expedición a la isla La Misteriosa.

Recién, Antenor, al estar de pie en el chinchorro, descubría el piso calado y recién yo advertía encontrarme con los pies en un charco. Clamó en un asombro: "¡Aquiles: el chinchorro hace agua!" Clavamos proa en la orilla y saltamos a tierra. Ya en lo alto, regresamos remolcando el chinchorro que se removía sobre una marejada cada vez más indócil. Volvíamos a contra gusto; cuando avistamos el muelle, la señora Victoria nos amenazaba con la mano y con el gesto enérgico, pero al arrimar el chinchorro a la escalera del muelle y amarrarlo, se desató en expresiones de susto: "¿No ven el río picado...? ¿No lo ven levantarse en crestas blancas y rabiosas...? ¿A dónde iban con la canoa que hace agua y que está para calafatearla, porque tiene una costilla rajada?"

El chinchorro quedó atado a la merced de un zarandeo. Pasó un barco con mucha carga, el "Querandí II"; removía las aguas en un vaivén brusco que nos llegaba en golpetazos y levantaba y bajaba el chinchorro, poniendo a prueba el cabo que lo mantenía sujeto, pues tironeaba como el surubí grande cuando intenta zafarse del hilo que lo retiene.

Frente a la anarquía del agua, la señora Victoria tuvo más espanto. No salía del zarandeo en que se mantenía el chinchorro. Debió aleccionarnos: "Si estos saltos de agua, si este empuje del río, los toma navegando, les vuelca la canoa y adiós ustedes: ¡Habría que buscarlos por el Plata!"

Luego fue una pregunta echada con iracundia: "¿Y a dónde iban, par de locos?...". No tuvo respuesta. Enseguida, para rompernos toda intención de salida nos pidió: "¡Ayúdenme a sacar a tierra la canoa, porque necesito tener el pensamiento en mis quehaceres y no en las travesuras que ustedes traman!"

Nos dejó al tener el chinchorro en tierra, más aún se dio vuelta para echarnos una recomendación exhalada con firme mando: —No tramen nada ni se aparten del muelle. Sepan que mis ojos no estarán nada más que para ustedes.

La inquietud que tenía la hizo que regresara y, enfrentándonos, era todo observarnos para que los gestos nuestros fueran infidentes y le anticiparan aquello que nos obligaría después a una confesión.

Fracasada la exploración fluvial, ¿qué haríamos? Llegar por tierra al monte era un imposible. Esto lo habíamos intentado otra vez, pero tanto árbol junto, tanta liana, tanto agarrapalo y las feroces cortaderas serruchándonos la piel, nos fueron disminuyendo el ánimo intrépido y debimos regresar. Había sido nuestro comienzo de excursión distinto al planeado. Nos perdíamos buscando buen paso y, al notarnos separados, todo era llamarnos a los gritos para unirnos. Marcamos algunos troncos por donde debíamos regresar: le rodeamos un piolín que sujetaba un papel con una flecha, la que nos indicaría el camino a seguir de vuelta, mas al buscarlos no hallamos nada: íbamos sin ninguna orientación. Decidimos no avanzar por el calor húmedo y la falta de aire que nos sofocaba. También el mosquito estaba unido a nuestra desventura. Salimos de la maraña vegetal, tal vez guiados por algún duende que participaba de nuestras aventuras.

La madre de Antenor se retiró definitivamente, aunque nos previno al partir: "¡Muchachos: no intenten salir porque el río no está para nuestra maltrecha canoa!"

¡Qué haríamos ahora, ya libres! En eso nos hallábamos cuando la clarinada de un viento arrollador empujó el chinchorro de manera que se fue resbalando barranca abajo hasta zambullirse en la corriente. Anduvo sumergiéndose y saliendo a flote, hasta que al llegar a lo más profundo desapareció. Estábamos luego a ojos en el río sobre los peldaños de la escalera del muelle, pero la dejamos pronto porque los bandazos de agua nos empapaban.

Llevamos la noticia mala y, al oírnos la madre de Antenor, no fueron menudas las frases condenatorias que iba echando su furiosa reprimenda. Nos culpó aduciendo que habíamos echado nosotros la canoa para navegar y de ahí el hundimiento de ella. Terminó clamando: "¡Y gracias a Dios que ustedes no desaparecieron también!"

No valieron nuestras palabras, porque, al vernos la ropa mojada y tocarla, entró en más susto y en palabras condenatorias. Dio término diciéndonos: "¡Y me van a negar que no salieron del río al desaparecer la canoa!... ¡Si están calados hasta los huesos! ¡Ay, Dios, Dios y Dios: cuando llegue tu padre, Antenor, nuestra casa será un infierno!"

Entonces nos repartió: "¡Vos, Aquiles, te vas rápido a tu casa; y vos, Antenor, lo mismo, y a cambiarse la ropa, porque hace frío y los veo que tiritan!" Acabó soltando este lamento: "¡Ay, mi Dios, qué par de demonios y cuántos sobresaltos me cuestan!"

Diario "Clarín", 1983.

ELIAS CARPENA

Nació en Junín, provincia de Buenos Aires, en 1897. En 1922 aparece su primer libro de versos "Matinales" y se adhiere al movimiento renovador de Borges. Entre sus publicaciones mencionamos su primer libro de cuentos "El doradillo", "Romances del pago de La Matanza", y su novela "Chicos cazadores". Es miembro de la Academia Argentina de Letras.

LOS CARANCHOS DE LA FLORIDA

*Las dos novelas rurales de Benito Lynch "Los Caran-
chos de la Florida" y "El Inglés de los güesos" tienen
como escenario la zona de Dolores, en la provincia de
Buenos Aires, "campo bajo donde abundan los fachina-
les, el duraznillo" y ya cerca del Salado y de la costa,
los cangrejales. El campo ve alterada su monotonía por
algún monte y las grandes lagunas.*

*La acción de esta novela tiene como escenario principal
la estancia "La Florida", una estancia de principios de
siglo. El patrón de la misma es Francisco Suárez Oroño.
A éste y a su hijo, Don Panchito, quien regresa al campo después de realizar sus estudios universitarios en
Europa, el pueblo los llama "los caranchos" por su carácter violento y arisco.*

VIII

Es media noche. El viento fresco y huracanado que
se acaba de levantar del Sur arrea impetuoso desgarro-
nes de nubes negras a través de aquel cielo lívido, donde parpadean unas pocas estrellas. Don Panchito deja
galopar su caballo. Es imponente el croar de las ranas
que llega de todas partes y que no cubren ni los gemi-
dos del viento, ni el chapotear de los cascos sobre el
campo inundado, ni el rodar inmenso del trueno, allá,
muy lejos, entre la masa sombría de la tormenta, que
se amontona hacia el Norte, iluminando la retirada con
sus relámpagos rojos.

Don Panchito conoce muy bien el camino; tiene "el
instinto de la orientación", según él, y por eso deja ga-

lopar su caballo en línea recta, seguro de encontrar al cabo de algunas cuadras al paso de la laguna de la estancia, aquel paso que ha visto muchas veces, que los caballos atraviesan con el agua a la cincha y que se desliza como un canal, serpenteando entre dos altas murallas de duraznillo y juncos.

Aquella tarde, sin ir más lejos, cuando lo atravesó, el agua no llegaba al borde de la carona; y don Panchito recuerda que era tan clara, iluminada oblicuamente por el sol que caía, que pudo ver muy bien cómo se agitaban, al andar, las patas de una nutria que pasó muy cerca, huyendo de su encuentro.

Es probable que, como lo ha dicho Sandalio, el paso de la laguna esté a nado, pero eso no lo preocupa, que al fin y al cabo él nada como un pez, y el trayecto difícil no debe pasar de unos cien metros a lo sumo: "¡Ojalá que todas las dificultades fueran éstas en la vida!"

De pronto, el gateado agita las orejas y relincha. "Esto quiere decir —piensa don Panchito— que estoy en terreno conocido, y que debe andar cerca alguna de las tropillas de la estancia".

Sin embargo, muy pronto se detiene absorto. ¿Qué significa esa masa oscura que, a manera de biombo gigantesco, ha venido ahora a interponerse en su camino? ¿Cómo no la ha visto antes, cuando se extiende desde un confín del horizonte al otro en todo lo que alcanza la vista, como una inmensa muralla que hubiese brotado repentinamente de la tierra? Don Panchito se acerca lentamente, chapoteando el agua. Es, en efecto, un fachinal aquello, un fachinal compacto, de esos que ocultan por completo al caballo y al jinete y que suelen prolongarse a veces en una extensión de varias leguas. Algunas aves acuáticas vuelan a la aproximación de don Panchito, y desaparecen graznando bajo el viento. El caballo, impaciente, pide rienda, pero don Panchito lo contiene, y alzado en los estribos trata de orientarse. "Allá está el Norte", piensa, "y aquí el Sur;

de manera, que el Oeste queda al frente y la estancia debe de estar allí, sin duda. Pero este dichoso fachinal, ¿de dónde diablos ha salido, entonces? La costa de la laguna de la estancia no tiene paja ni duraznillo en una gran extensión; y esto no puede ser la laguna, porque el fachinal es aquí compacto como una pared por todas partes.

—A alguna parte he de salir —murmura.

Pero don Panchito se equivoca. Apenas ha dado el caballo algunos pasos, cuando tropieza y cae entre el agua. Hay muchísima en aquel fachinal "del infierno, que quién sabe de dónde habrá salido".

Don Panchito tiene que apearse con el agua casi a la cintura y, allí en la oscuridad y entre el lodo, hace levantar su caballo, que está hecho un estúpido y que no hace otra cosa que sacudir la cabeza. Después de larga brega, todo mojado y tiritando de frío, el mozo consigue hallarse otra vez en lo limpio, y allí se queda pensativo con el caballo del cabestro y el agua a media pierna. Don Panchito siente ganas de llorar de despecho y de rabia.

A él no le importan absolutamente ni la mojadura ni las largas horas que tendrá que aguardar hasta el alba; lo que le importa y le mortifica es que mañana todo el mundo va a saber que se ha perdido como un gringo, como un desgraciado, allí donde no se pierden ni las viejas.

El viento hace ondular la superficie del fachinal, y gime, al pasar entre sus varillas flexibles, quién sabe qué inexplicables angustias, mientras los nubarrones desgarrados y negros siguen huyendo hacia el Norte, en donde la tormenta amontona, entre lívidos pantallazos de luz, sus cordilleras de sombra.

. . . .

BENITO LYNCH

Nació en la ciudad de Buenos Aires en 1881 y murió en 1951. Durante su niñez y adolescencia conoció la vida del campo en estancias de la provincia de Buenos Aires. Muy joven inició su labor periodística y literaria. Excelente narrador, entre sus novelas, además de "Los caranchos de Florida", recordamos "Raquela", "El inglés de los güesos", "El romance de un gaucho", "De los campos porteños" reúne cuentos de este autor.

AMBITO PATAGONICO

Desde las márgenes del río Colorado, al sur de Mendoza, La Pampa y Buenos Aires, abre su ámbito la tierra patagónica. Sus flancos estrechados entre los Andes y el Atlántico, terminan desgranándose en las islas, que allende Tierra del Fuego, representan las comarcas más australes habitadas por el hombre.

Hasta el siglo pasado la Patagonia fue como una larga noche geológica sobre la que pesaba el inerte silencio del cosmos...

Durante millones de años fue un escenario en que océano, viento y cordillera representaban un acto del génesis. Luego cayó el telón de la soledad, y el desierto quedó en la espera de la historia.

Augusto Raúl Cortazar
Obra citada

TIERRA PATAGONICA

Ema de Cartosio

Esta tierra que palpo, que levanto disgregándola
entre dedos y reflexión,
es más antigua que la pregunta de los hombres.
En ella se acostaron a dormir helechos y árboles
sobre tiempo que lentamente
petrificase sus corazones de savia y de corteza.
Por ella se deslizó un dinosaurio hasta morir
entre el viento y el mar
de estas inmensas terrazas que lo silenciaron.
Sobre ella avanzó el océano y más de dos veces
instaló sus mareas
desafiando movimientos geológicos del oeste.
A ella le debo el haber visto la pupila de la Luz
cuando contempla fijamente
una tierra que sabe de destrucción y nacimientos.
Esta tierra que palpo que levanto disgregándola
en conchillas y restos fósiles
es más antigua que la pregunta más antigua
de los hombres.

De *"Cuando el sol selle las bocas"*

EMA DE CARTOSIO

Nació en Concepción del Uruguay, Entre Ríos, en 1925. Se recibió de maestra normal en su ciudad y cursó estudios superiores en la Universidad de La Plata. Su actividad cultural es intensa y colabora en los periódicos más importantes del país.

Es autora de libros de poemas como "El arenal perdido", "La lenta mirada" y "Cuando el sol selle las bocas" y de relatos para niños y adolescentes como "Cuentos para la niña del espejo".

ESTE ES EL MAR

Alma García

Este es el mar. Esta su presencia,
y éste su signo azul.
Este es el mar; éste su latido:
ritmo vital, altipampa de vidrio.
Este es el mar, amante desbocado,
éste es el mar, marea, marejada,
cromoritmo de espuma hacia el abismo...
Este es el mar, mensajero del olvido
al sur del continente, hace su nido
y el viento antártico germina
flores de escarcha y de pingüinos.

De *"Pleamar"*

ALMA GARCIA

Tucumana. Maestra, poeta y folklorista. Del amplio repertorio de sus obras, destacamos el libro de poemas "En la luz y el pájaro" e inspiradas composiciones folklóricas de cuyas letras y ocasionalmente también de su música, es autora.

MARISCOS

Eduardo González Lanuza

Si sabe a mar el mar, son los mariscos
los que acendran sabores milenarios
en toscos mejillones marineros,
en feudales centollas y langostas,
en el curvo coral interrogante
de langostinos y de camarones,
en el blando pulpo astral y entre la tinta
del calamar, escriba sabrosísimo,
y en las ostras herméticas e intensas
como salados besos de Afrodita.

De *"Suma y sigue"*

EDUARDO GONZALEZ LANUZA

Nació en Santander, España, en 1900. Desde niño reside en Buenos Aires y junto con Jorge Luis Borges y otros escritores fundó y colaboró en importantes revistas literarias.

Publicó numerosas obras en prosa y verso y entre algunos de sus títulos, cabe citar: "Puñado de cantares", "Oda a la alegría y otros poemas", "Profesión de fe y otros poemas", "Cuando el ayer era mañana", "Ni siquiera el diluvio" (teatro).

Neuquén

NEUQUINA

Irma Cuña

Nací en Neuquén, oasis del desierto,
inmenso reino del potente viento,
millonario de arenas y de piedras,
Arauco triste de su gente nueva.

Nací en Neuquén, nostálgico del indio,
para quien fue "el audaz y el atrevido";
el extranjero lo pobló de arados,
de frutales, de viñas y de álamos;
pero él siguió soñando con las tribus.

Nací en Neuquén, y por las noches hondas,
cuando todo se acalla, mi alma loca
trepa las bardas, atraviesa el río,
y tras la Cruz del Sur halla el camino
que conduce al secreto primitivo.

Y cuando lejos parta, no habrá olvido
para mi valle, mi arenal, mis ríos,
ni el salvaje furor del viento terco.

Nací en Neuquén, sonrisa del desierto,
y en él quiero dormir el largo sueño.

IRMA CUÑA

Nació en Neuquén, ciudad capitalina, en 1932. Actualmente reside en Buenos Aires, donde ejerce la docencia. Cursó el profesorado en Letras en la Universidad del Sur y se doctoró en Méjico. Entre sus obras figuran ensayos y libros de poesía como "Neuquina", "El riesgo y el olvido", "El extraño".

Chubut

VICENTE CALDERON

Vigía de la Patria bajo la Cruz del Sur

Juan Isidro Tamburini

Con el fallecimiento de don Vicente Calderón, acaecido el 13 de marzo de 1948, allá en el hermoso valle chubutense de Cholila, desaparece el primer profesor normal que, en aquellas frías regiones de la patria, llevó la gloria del abecedario.

La iniciación

Roca termina de regresar de su viaje al Chubut. Trae el reclamo angustioso de aquellas soledades. Nada ha escapado a su visión de estadista. No hay detalle del drama patagónico que no haya penetrado. Ve su presente y adivina su porvenir.

El valle de Chubut constituye a la sazón el núcleo de población más denso.

Allí están los esforzados galeses llegados al país en 1865. Han echado raíces en su suelo virgen. Cultivan sus parcelas con sacrificio y amor. Mas no se han incorporado a la nacionalidad.

Sus costumbres, su lengua, su religión, su patria misma sigue siendo la de allende los mares... El pabellón azul y blanco es nada más que un "lienzo bonito" para su sensibilidad de extranjeros.

Roca aprecia el grave mal, y sabe que hay sólo un medio para curarlo: la escuela. Ella hará el milagro de ganar para la patria los corazones gringos de aquel valle encantado. ¡Y manos a la obra! Con tal propósito, en enero de 1899 el Consejo Nacional de Educación resuelve designar los primeros profesores normales argentinos que irán allá a realizar su siembra de alfabeto y patriotismo.

Vicente Calderón termina de graduarse en la "Mariano Acosta". Es uno de los elegidos.

La partida

Calderón tiene escasos veinte años. Morocho, casi negro. Alto, fornido, recia estampa de criollo montañés, de frases cortas y silencios largos... En sus venas, si la hubo, ya no ha de quedar una sola partícula de sangre extranjera. Quienquiera que lo ve sabe que —por dentro y por fuera— es íntegro hijo de la tierra argentina.

Está gozoso con la misión que se le encomienda. Ha cobrado conciencia de que asume una enorme responsabilidad, pero se tiene fe, y el amor a la patria lo alienta.

El transporte nacional "1º de Mayo" suelta amarras rumbo al Sur. En él va Calderón ¡y en qué compañía! Está a su lado nada menos que Raúl B. Díaz, el gran maestro. Un minúsculo grupo de civiles y militares va a despedirlos.

Apoyados en la borda del buque ven desdibujarse, poco a poco, la visión de la gran urbe.

¿Sospecharía el joven profesor que nunca más volvería a vivir bajo el cielo pardo de esa ciudad cosmopolita y turbulenta?

La primera escuela

El 25 de febrero de 1899 arriban a Puerto Madryn. Díaz dispone que en Gaimán, centro de la colonia galesa, se instale la escuela. La población comenta con re-

167

servas el acontecimiento. El maestro galés deberá ceder su turno al criollo... Sus hijos tendrán que aprender el idioma, la historia, la geografía de este país.

Empiezan a morir algunas ilusiones...

Este general Roca, que en vez de traerles ferrocarril y más arados y más créditos, ¡se apresura a mandarles maestros!

El 9 de marzo se inaugura la primera escuela. Lleva el Nº 34. Vicente Calderón será su director. Horas después, Díaz emprende el camino de regreso. Recién entonces el corazón del joven maestro siente que la angustia le clava sus garras, pero dura apenas un segundo. Su voluntad puede más que su dolor... Tiene la obligación de triunfar y triunfará.

"Ese día —dice Calderón en documento inédito que conservo— marcó una verdadera etapa para aquella Colonia que esforzados 'pioners' fundaron en 1865. Hasta entonces había vivido en verdadera ausencia de nuestra nacionalidad. Sus hijos, pese a nacer en nuestro suelo, no conocían otro idioma ni costumbres que las galesas y no se advertía nada que los aproximara a nosotros, pero pronto se operó en la Colonia una gran transformación. Los galeses empezaron a comprender que no estaban en su país, sino en el nuestro; empezaron a conocer nuestro idioma, nuestra historia y nuestras instituciones, a encariñarse con la tierra generosa que les había dado albergue."

Seis años le bastaron a Calderón para cambiar la fisonomía espiritual de aquella laboriosa población. El blanco y azul había dejado de ser para ellos un "lienzo bonito", para convertirse en el pabellón de la patria a cuyo amparo formaron su nuevo nido, cantaron su amor y nacieron sus hijos. Sentían por él ahora no sólo respeto sino afecto.

¡Tuvo razón Roca al confiar a la escuela una misión tan difícil como trascendente!

La tercera escuela

En lo aledaños de Esquel, tras largas correrías por cerros abruptos y valles magníficos, ha sentado definitivamente sus reales la tribu araucana del cacique Nahuel Pan. Mermada está la indiada y viejo y enfermo el cacique.

Impresiona por su miseria y decadencia la otrora poderosa hueste indígena. En efecto, allí está, al pie del cerro que llevará el nombre de su jefe, en su vivac eterno, sin empeño presente, sin visión de futuro y, para su bien, sin cabal noción de su agonía irremediable...

Ha trabado relación con el pequeño centro civilizado. La amistad vendrá luego, cuando ambos se conozcan mejor; el indio ya no desconfíe del blanco y éste no pretenda abusar de su condición de civilizado para imponerse como amo.

Significativo momento para la acción de un maestro. La escuela podrá servir de puente entre ambas razas. Es función suya. La concordia entre los hombres representa su máxima aspiración. Su mensaje debe ser primero de amor, luego de comprensión. De allí que sus semillas antes de iluminar las mentes caldeen los corazones. El gobierno escolar así lo entiende y, a tal fin, crea la escuela indígena de Nahuel Pan en el territorio del Chubut.

Pero esta vez no irá a crear escuela en tierra virgen desde el punto de vista educativo, porque otros abnegados educadores lo habían precedido en la tarea. El irá a cimentar la siembra en la capa más profunda del alma nativa y lo va a hacer como siempre, con entusiasmo y con amor.

Sus primeros pasos son de tanteo. Sabe que penetra en un campo mental incógnito. Son poco conocidas la mentalidad de los niños indígenas y las modalidades profundas de la tribu, aquellas en que no podrá hacer pie firme el credo de Sarmiento.

El local es ruinoso, los muebles y útiles escasos, mas ya hallará la huella para salir airoso de esta nueva empresa.

Su primer contacto con los indígenas los impresiona vivamente. El fatídico drama de esa pobre gente hiere profundamente su corazón de argentino. No olvida que sobre ese tronco aborigen, cetrino y salvaje, la conquista realizó su primer injerto. Son, por lo tanto, algo carnalmente nuestro. Son nuestros hermanos. Por el caudal torrentoso de nuestras arterias corren partículas de su sangre. ¡Hay que salvarlos del derrumbe definitivo!

Ya está ubicado dentro del problema. Ahora sabe lo que quiere. Sólo le resta construir el sendero para llegar a la meta. Él procede siempre así; es hombre sereno, de honda reflexión. Como buen montañés no sabe de apuros infundados; antes de cada batalla estudia el terreno, prepara el plan y ubica las piezas...

Su acción en este nuevo escenario resulta muy interesante. Logra conquistar el corazón de la tribu. Fue su confesor, su consejero, su amigo.

El "Cacique Calderón", llamáronlo alguna vez por su influencia sobre la tribu.

Cuatro años consecutivos modeló la pasta virgen de los niños indígenas, al cabo de los cuales consigue, por fin, el traslado a Cholila, su rincón amado, tierra que bebió su sangre y con el tiempo, recogerá sus huesos.

De *"Héroes ignorados"*

JUAN ISIDRO TAMBURINI

Nació en Corrientes en 1900. Se recibió de maestro en la Escuela Normal Superior de esa ciudad. Ejerció la docencia en su provincia natal y en plena selva chaqueña. Como inspector seccional del Chubut recorrió esa provincia como otras de la Patagonia. Es autor de "Por las sierras del Teuco" y de "Héroes ignorados", obra en la que evoca a maestros que cumplieron su abnegada misión en apartadas regiones de nuestro país.

Río Negro

LA PICADA DE SAN ANTONIO A TRELEW

Mary Rega Molina

Como serpiente que se alarga, tarda,
va la Picada recortando pampas;
y bajo el cielo, sigilosa, aguarda,
quien la conquista sin ponerle trampas.

Veloz, el auto, sus esclavas grampas
suelta; los dientes que su rueda guarda
muerden el lomo y un tapiz de estampas
su ojo descubre en la etamina parda.

¡Conquistadora! con tu piel curtida,
a viento, a sol, a lluvia, nieve y frío,
lazos al Norte echó el lejano Sur.

Trocó en palacio lo que fue guarida;
en fértil vientre el pedregal vacío
y en hoz de vida su mortal segur.

De *"Paisajes"*

MARY REGA MOLINA DE MENDEZ

Poetisa y educadora nacida en San Nicolás de los Arroyos, provincia de Buenos Aires, en 1891. Realizó sus estudios de profesorado en el Instituto Nacional de Lenguas Vivas y allí mismo ejerció la docencia. Entre sus obras destacamos: en verso: "Retablo", galardonada con el Premio Municipal de Literatura (1934) y "Paisajes"; en prosa: "Canto de los hijos", y "Canto a la escuela". Falleció en Buenos Aires en 1960.

EL ANGEL DEL COLORADO

Raúl A. Entraigas

*En esta obra el autor ensalza la personalidad del Padre
Saleciano Pedro Bonacina a quien llama "El Angel del
Colorado" por su acción misionera en la región de Río
Negro: Guardia Mitre, Fortín Mercedes, Choele Choel...
A través de treinta y cinco capítulos surgen la figura
extraordinaria del protagonista, su pasión civilizadora y
el desierto patagónico con sus connotaciones físicas y
humanas.*

CAPITULO 25

EL CIELO Y LA TIERRA

Cuando el Padre Pedro se hizo cargo de ese terreno
inculto que dormía sueño de siglos junto al río opulento,
pensó en huertas, alamedas, quintas, parques. Proba-
blemente no sabría él este refrán español: "Casa en la
que vivas, viña de que bebas, tierras cuantas veces",
que debe ser el programa de todo el que se afinca en
un lugar; pero a fe que lo practicaba sin conocerlo, llevado por ese instinto nativo de hombre superior.

Como buen italiano amaba la madre tierra, sentía
la necesidad de inclinarse hacia ella para arrancarle los
frutos que en su seno ha depositado pródigamente la
Providencia. Sabía que "árbol de buen natío, toma un
palmo y paga cinco". Y él, que había menester de ex-

plotar hasta el último céntimo para poder hacer frente a las erogaciones que demandaba un colegio pobre y para pobres, como era el suyo, pensó siempre que la agricultura le ayudaría a resolver el gran problema de la manutención del Colegio San Pedro. Y la "Pacha Mama", la madre tierra, no lo defraudó sino que le devolvió, trocados en realidades, sus esfuerzos, sus sudores, sus lágrimas...

De entrada nomás, planeó una quinta amplia y arbolada. Y al día siguiente de su instalación junto al Colorado ya andaba tomando medidas, trazando líneas, haciendo zanjas.

Es claro que para poder transformar aquellos campos yermos en jardines, el misionero tuvo que echar manos al agua. Ese Río Colorado que atraviesa el país de Oeste a Este, oculto entre las malezas y arbustos, rumoreando quién sabe qué coros salvajes por las soledades de la pampa, fue el que lo animó a emprender la empresa titánica. El Padre vio cómo se perdían diariamente millones de metros cúbicos de agua y pensó utilizarlos. ¿Cómo? No tenía dinero como para embarcarse en una empresa de canalización. Entonces ideó un sistema de "rueda hidráulica" que, como veremos, le dio fama en muchas leguas a la redonda.

La construyó en la primavera de 1903. La primera tenía un radio de seis metros y daba una vuelta y media por minuto. La terminó de colocar el 13 de noviembre. Era de madera y tenía catorce baldes —simples latas de kerosene— colocados en la circunferencia. La corriente del río hacía girar la rueda. Los baldes levantaban el agua y al terminar la vuelta, volcaban el precioso líquido en una canaleta colocada suficientemente elevada para que, por natural declive, fuera a regar los canteros de la quinta. La quinta tenía riego barato. Los primeros ensayos fueron estupendos. Inmediatamente agregó otra rueda más. Día y noche giraban ambas impulsadas por la corriente y dejaban caer perennemente el agua fecunda sobre la canaleta que la conducía a las regueras interiores.

No bien los estancieros, que tenían sus establecimientos ubicados junto al río, se dieron cuenta de la genial obra del Padre Pedro, imitaron su ejemplo. Y a la vuelta de pocos meses había muchas ruedas hidráulicas que cantaban la canción del progreso a la vera del bermejo río pampeano. Y así fue el Colegio San Pedro, una vez más modelo para los pobladores de la zona.

. . . .

En una carta expresa:

"El fin de la escuela teórico-práctica de agricultura es el de acostumbrar al niño al trabajo o de despertar en él, el amor a la labranza, cuyas deficiencias son tan lamentables en estas regiones patagónicas, que son, por otra parte, fuente inequívoca de riqueza y de bienestar".

Ahí está el pensamiento vivo del Padre Pedro. Su ideal era la educación de los jóvenes. Que no consiste solamente en enseñarles a leer y a escribir sino a bastarse a sí mismo en la vida. Y para ello, infundirles un cariño grande por la madre patria, que siempre prodiga a cuantos le confían sus energías, el pan y la prosperidad.

En esto también fue eximio maestro el misionero milanés: supo despertar en muchos despreocupados pobladores de la comarca coloradense inquietudes que parecían amodorradas y merced a su ejemplo, muchas estancias se poblaron de árboles y el verdor de los álamos, los sauces, los mimbres, los paraísos, los pinos y los eucaliptos, se extendió por las márgenes del río Colorado como una cinta de esperanza.

En esto también está admirablemente retratado el P. Bonacina: un hombre que sabía mirar al cielo sin perder de vista la tierra, un hombre que tenía tan perfecto equilibrio que su mente estaba en Dios pero sus pies muy bien sentados en la gleba, un sacerdote cuyo corazón tenía capacidad para contener las cosas del cielo y las cosas de la tierra.

RAUL AGUSTIN ENTRAIGAS

Nació en San Javier, Río Negro, en 1901. La sangre euro-indígena de sus ascendientes, el ámbito geográfico del desierto patagónico y la educación recibida de los misioneros salesianos forjaron su personalidad. Se enroló en el noviciado de esa congregación en Patagones y profesó en Viedma. Miembro de la Academia Nacional de la Historia, fundador de la Junta de Investigaciones y Estudios Históricos de Río Negro, es autor entre otras obras de: "El apóstol de la Patagonia", "Angel Savio, el heraldo" y "Patagonia, región de la aurora". Murió en 1977.

Santa Cruz

VACACIONES

Josefina Marazzi de Rouillon

Nuestra vida pueblerina transcurría monótona e igual, sólo alterada por el tiempo que ofrecía las oscilaciones meteorológicas típicas de la región: variantes mínimas, pues el viento era lo clásico. El huracán que soplaba incansable, días y días aullando en las noches heladas, deprimía los espíritus y cortaba el aliento. Rebozantes espirales de polvo espeso, sorprendían en las esquinas, sacudían, cegaban e impedían dar un paso, hasta que la experiencia acerca del clima, asentada en los convecinos, les sugería avanzar de espaldas a la ráfaga, para proseguir la marcha.

Ese viento de la meseta, templa las fibras de nuestro ánimo y lo transforma en susceptible cuerda tensa, que vibra y sorprende al menor estímulo. Ventarrones de velocidades increíbles, hasta de ciento ochenta kilómetros por hora, derrumban paredes o echan a volar cual banderas rígidas a techos de cinc sonoros y metálicos. En su ascensión titánica, el torbellino incorpora perdigones apiñados de piedrecillas ribereñas, que golpean a intervalos los rostros ásperos y curtidos por el río. "Viento Norte", susurra el nativo: el temido ciclón inacabable, que sopla tenaz y ahoga emociones, excita nervios y desafía voluntades.

Se sucedían el vendaval y la nevada, florecimiento albo, de un cielo plomizo, aguado, como en pugna por arrojar el apretado fruto de su preñez solemne. Una quietud polar satura el ambiente, mientras la tierra

177

aguarda en holocausto servil, algo distinto, renovador, nuevo.

Nada interrumpe el silencio absorbente, salvo borbotones de aire frígido, que impregnan de diluidas esencias salinas, nuestro olfato alerta. De pronto el paisaje se anima cuando una invasión de húmedo maná vuela desorientado, planea silente y cae en prolongado descenso de alternadas volutas.

La madre tierra, tocada con su velo nupcial gélido y uniforme, parece haber transformado su corteza, albergando a los copos ambulantes, inmenso sudario que embellece techos, decora patios y ornamenta calles como en las viejas postales nórdicas, donde todo adquiere esa inconfundible blancura marmórea de opacidades tenues.

¡Meses duros! ¡Clima despiadado! ¡Frío, nieve, viento! ¡INVIERNO!

Para los niños, el rigor del ambiente no constituía un obstáculo valedero a la actividad pujante, al movimiento irrefrenable de los juegos característicos de la estación: las interminables batallas con bolas de nieve, que finalizaban la mayoría de las veces en compungidos llantos, cuando la pelota impulsada sin rumbo, estallaba en un ojo o en algún rostro desprevenido...

También fabricábamos espantajos burdos, muñecos con deformados miembros, a los que nunca olvidábamos colocarles entre los labios incipientes que centraban la amorfa cabezota, una ramita de mata negra símbolo de rústica pipa. Algún trapo viejo anudado en torno del supuesto cuello, remataba el atuendo.

¡Delicias del invierno! ¡Maravilla de contemplar la nieve escurriéndose entre los dedos trémulos! ¡Emoción de sentir la tensión álgida, pero con mano rígida y torpe, armar presurosos un proyectil veloz! ¡Reminiscencias acariciadoras de otra época, lejana en el tiempo, aunque latente en la evocación cotidiana y que se desliza ante la expectativa absorta de quien siente alejarse la vida, impregnada con ese perfume añejo de la nostalgia! Emergen cotidianamente estos recuerdos y por eso quiero que fluyan y se graben, para que los niños de otras regiones, conozcan rasgos de la infancia sureña. El juego primitivo y simple y las inquietudes, resultaban distintos por el medio donde actuábamos, pero florecían idénticas en ese anhelar incansable, en esa actividad creadora de la puericia: edad vital que se proyecta en todo nuestro porvenir.

Otra diversión muy gustada, era la de atisbar hacia el exterior a través de los vidrios opacos, velados por la escarcha. La operación consistía en respirar con la boca abierta para que el aliento cálido actuara de disolvente; cuando cedía la débil resistencia congelada y se aclaraba parcialmente la zona del vidrio, con las uñas trazábamos surcos paralelos que se nos antojaban huellas de automóviles. Por ellas disputábamos carreras de gotas. Triunfaba la que llegara intacta a la varilla inferior del vidrio.

Las horas se escurrían prietas, mientras atentos al pasatiempo, observábamos el raudo desliz de las lágrimas fugitivas, que cansadas de su concentrado sueño, vacilaban, se estremecían y por fin huían a fundirse en la meta, con lentitud de reptil. Pocas lograban la victoria, pues desaparecían evaporadas o deshechas a poco de iniciar el descenso.

Pero el juego preferido, el que centralizaba nuestros afanes y nos absorbía días enteros, era el patinaje sobre los helados charcos, domésticas pistas donde probábamos nuestra celeridad y exhibíamos nuestra destreza.

Contribuían para la realización del entretenimiento, simples y vacías latas de aceite, procuradas cuando empezaban los fríos intensos. Recorríamos con mis hermanos los terrenos vecinos en afanosa búsqueda. Ya bien provistos, hundíamos el centro mediante unos martillazos. Esa hendidura se transformaría en el asiento y una lata más pequeña, sería utilizada para apoyar los pies. El deslizador casero estaba armado. Para impulsarlo, fabricábamos rústicamente con trozos de palo de escoba, los pinchos. Un extremo remataba en un clavo descabezado. Trineo primitivo, sin duda, pero juego codiciado por la mayoría de los niños, ya que sentados sobre los dos recipientes y tomando como puntos de apoyo ambos pinchos, se conseguía un desplazamiento eficaz y rápido, sobre las lagunas de los patios y baldíos.

¡Qué horas maravillosas vivíamos, resbalando sobre los filosos bordes de los envases, con todos los bríos de niños sanos!

La fatiga se traslucía en las mejillas purpúreas mientras en la nariz helada, se hacía evidente el rigor de la temperatura. El escaso mechón libre, fuera de las gruesas gorras se perlaba por la ventisca y ya congelado relucía al reflejar los tímidos destellos vespertinos.

Jugábamos con marcas meteorológicas inferiores a cero grado y, sin embargo, no sentíamos frío, ni los temidos y dolorosos sabañones inflamaban la piel, ni el menor estornudo nos estremecía. Nada perturbaba nuestro entusiasmo y ningún malestar impedía la acción, que sólo interrumpíamos cuando la consagrada languidez estomacal, nos obligaba a frecuentes carreras hasta el hogar, desde donde retornábamos con suculentos y abundantes emparedados, que equilibraban nuestro balance calórico.

De *"Confín de viento y sal"*

JOSEFINA MARAZZI DE ROUILLON

Nació en Río Gallegos, provincia de Santa Cruz. Cursó los estudios primarios en su ciudad natal, los secundarios en Córdoba y los universitarios en la Capital Federal. Alterna la actividad docente con la literaria. En "Confín de viento y sal", con profundo amor por su patria chica, la autora evoca episodios de su infancia transcurrida en Río Gallegos. Es autora además de "Reflejos del fuego" y "Soberanía Argentina en la Antártida" ensayo premiado por el ministerio de Marina.

EL VENTISQUERO
(fragmento)

Juan Goyanarte

"El ventisquero" es el Capítulo II de la novela "El lago Argentino" de Juan Goyanarte.
En esta obra el autor relata la historia de Martín Arteche y su lucha contra la naturaleza en el sur del país. En los seis capítulos que la componen se cuenta cómo el protagonista levanta, con increíbles sacrificios un establecimiento, "Los Témpanos", a orillas del Lago Argentino.
El interés del relato se apoya no sólo en los esfuerzos de Martín Arteche para hacer realidad sus sueños sino en la admirable y minuciosa fidelidad con que presenta el paisaje de los lagos cordilleranos.
En uno de los tantos viajes que realizan Martín y un grupo de hombres a través del lago, viven una situación dramática: el motor del viejo barco, el "Augusto" sufre una avería y quedan a merced del viento que los arrastra contra el ventisquero.

Eran las cuatro de la tarde.

Estarían a cuatrocientos o quinientos metros del ventisquero, y continuaban siempre a la misma distancia de las dos orillas de tierra firme. Ya no podían abrigar la esperanza de zafarse del viento. Continuaban marchando hacia el mismo centro de la pared del hielo, al lugar preciso donde los desprendimientos eran más frecuentes. Los témpanos iban aumentando a medida que avanzaban. Témpanos de todos tamaños, desde los trozos que saltaban sobre las olas hasta las moles imponentes al lado de las cuales el "Augusto" aparecía en toda su insignificancia. Todos flotaban airosamente como veleros que dominan las aguas. Los icebergs de los mares helados son pesados y desgarbados porque flotan con nueve partes de su volumen sumergido, y sólo una fuera del agua. Los témpanos del Lago Argentino navegan al revés, con la parte más pequeña en el agua, y el resto sobre la superficie. Y obedecen al viento como si fueran copos de espuma porque no son bloques de hielo común. No están formados por la congelación vulgar del agua. Son de una alcurnia más rancia. De sangre azul. Sólo entra la nieve en su composición; la nieve que cayó en las altas cumbres algunos milenios atrás, que se petrificó con las temperaturas muy bajas, y que luchó con la acción del tiempo sin alterarse. Después, la gran serpiente de hielo levísimo inició su marcha de siglos por el camino marcado en la quebrada. No tenía prisa en llegar al Lago; se arrastraba sobre su panza arrancando moles de piedra, y para reponer sus fuerzas bebía por sus grietas los chorrillos que bajaban de la montaña. El hielo tenía así la vaporosidad en bloques tremendos para vagabundear por las aguas del Lago, conservaba la gracia exquisita de lo ingrávido, fuera cual fuese la forma que adquiría en aquel último período de su vida. Para dar aún mayor realce a su personalidad, todo su interior estaba veteado de venas y arterias que reflejaban en matices delicados los diferentes tonos de luz, y cuando los rayos del sol reflejaban sobre su superficie, las venas y arterias se teñían de cien variedades distintas de violeta y azul, desde el añil fortísimo hasta el celeste muy pálido, desde el violeta-obispo de la carne machucada hasta el violeta sombreado de esmeralda y aurora que tienen las orquídeas jóvenes que se anidan en los troncos muy viejos. En los días de sol, al ver pasar de cerca la mole imponente de un témpano, no se pensaba en los primeros instantes en su forma, aunque sus líneas fueran siempre caprichosas y originales; sólo se sentía la fascinación del colorido, el embrujo de aquellos matices tan variados de azul y violeta. Debajo de la superficie de una transparencia limpia de cristal, las vetas se marcaban con una nitidez que deslumbraba. El hielo parecía estar surcado en su interior por una red de caños finos y gruesos, rectos y ondulados, sinuosos y quebrados, en los que correrían anilinas de unos tonos tan delicados, tan poco terrenales, que sólo se recordaban como vistos en sueños.

De *"Lago Argentino"*

JUAN GOYANARTE

Nació en España en 1900 y murió en 1965 en nuestro país, en donde se había radicado. Inicia su producción narrativa con la novela "La semilla que trae el viento" y la culmina con "Lago Argentino".

TERRITORIO NACIONAL DE LA TIERRA DEL FUEGO, ANTARTIDA E ISLAS DEL ATLANTICO SUR

A TIERRA DEL FUEGO

Aníbal Héctor Allen

Tengo sed, de recorrer tus pampas
agrestes, esteparias,
erizadas de siglos, de vientos, y distancias.
Tengo sed, de sumirme en tus *turbales*,
o de trepar a cerros y montañas.
Quiero sentirme en ti, cálidamente,
como los nires o los robles milenarios.
No quiero pasar y perderme en el olvido,
prefiero ser el murmullo
del chorrillo más humilde,
que canta al bajar de la montaña,
la peña agreste, la estepa, el *calafate*.
Quiero vivir en tus cantos y leyendas
desde el fondo de los fogones
de arrieros trashumantes,
en la risa de los niños, en sus juegos.
Porque quiero vivir eternamente,
necesito estar en ti, Tierra del Fuego.

ANIBAL HECTOR ALLEN

Nació en 1915 en Ayacucho, provincia de Buenos Aires. Radicado desde 1938 en Tierra del Fuego, fundó allí la Sociedad de Estudios Históricos. Historiador y cuentista, se dedicó también al estudio de la fauna y la flora de la zona.

DIAPOSITIVAS DEL SUR

Nené Padró de Tocci

GAVIOTAS

Las gaviotas
no son aves de tierra
ni son aves del mar,
nos otean,
y se vuelven al más allá.

CANAL DE BEAGLE

Ushuaia de nuestro lado
y Chile allá en el confín;
el mar azul de por medio
y el cielo arriba de añil.

La tierra está dividida,
el cielo es a compartir.

CARCEL

Libre Tierra del Fuego,
Ushuaia sin rejas.
Ahora no hay prisioneros
en esta tierra.

Pero a veces el hielo
pone barreras,
y es mejor carcelero
que las cadenas.

NIEVE

Hembra de hielo,
Antártida.
Lejana, inconquistable
mujer blanca.

Los hombres de la Base
duermen de noche
bajo tus sábanas.

PINGÜINOS

Los pingüinos, muy erguidos,
son cruces a la distancia.
Parecen el camposanto
de las flores que allí faltan.

HOMBRES

Señor de Tierra del Fuego,
hombre de pocas palabras:
nieve, frío, duro invierno,
deshielos y noches blancas.

ATARDECER

El rompehielos dejó
témpanos despedazados
a la deriva del agua
que los lleva hacia el ocaso.

Cielo rojo y mar azul
hacen un manto morado.
Y la tarde es un obispo
en procesión bajo palio.

EL HOMBRE DE LAS NIEVES

Por el desierto de hielo,
contra el duro viento blanco,
la cara, nimbo de pieles,
y el bigote desmañado,
va dejando grandes huellas
un enorme ser extraño.

No es el Hombre de las Nieves
conservado por milagro.
Es un hombre de la Base
con el equipo de radio,
y la cámara fotográfica
y el radar de su entusiasmo.

PATRIA

La Patria de Buenos Aires
es alegría de sol.
A la Patria de los hielos
se la quiere con dolor.

Por eso es más argentino
al Sur nuestro corazón.

CRUZ DEL SUR

Tierra blanda de los sueños,
horizontes de la luz,
imantado derrotero
de quietud.

Entre las constelaciones
allá brilla más la Cruz.
¿Serás el último puerto,
Sur...?

NENE PADRO DE TOCCI

Nació en Buenos Aires, ciudad en la que murió en 1973.
Colaboradora de revistas y de los diarios "La Nación" y
"La Prensa", obtuvo varias distinciones por su obra, en-
tre la que figura "Aleteos" y "El sendero y la estrella".

LAS MALVINAS

José Pedroni

Tiene las alas llenas de lunares.
Es nuestra bella del mar.
La patria la contempla desde la costa madre
con un dolor que no se va.

Tiene las alas llenas de lunares,
Lobo roquero es su guardián.
La patria la contempla. Es un ángel sin sueño
la patria junto al mar.

Tiene el pecho de ave sobre la onda helada.
Ave caída es su igual.
El agua se levanta entre sus alas.
Quiere y no puede volar.

El pingüino la vela. La gaviota le trae
cartas de libertad.
Ella tiene los ojos en sus canales fríos.
Ella está triste de esperar.

JOSE PEDRONI

(Datos biográficos, ver página 119).

MALVINAS

Enrique Vidal Molina

Como una torre airada entre neblinas,
prisionera en un cíngulo de acero,
tu soledad de faro sin torrero
llora una migración de golondrinas.

Cercén de nuestra carne, alto, te empinas
sobre el oleaje, como un puño fiero,
para acallar la voz que en extranjero
miente, desde las cartas transmarinas.

Porque gritan tu nombre verdadero
tus rompientes, tu azul y en tus colinas
el viento fantasmal, el viento islero

mientras, bordando tus arenas finas,
el mar hecho bandera, malvinero,
empavesa tus playas argentinas.

De *"La Patria"*

ENRIQUE VIDAL MOLINA

Nació en Buenos Aires en 1923. Periodista, colaborador
de "La Prensa", "La Nación" y "La Capital" (Rosario).
Entre sus obras mencionamos: "Campo Lírico", "Pampa
y Cielo", "La Patria" y "Antología del Soneto Argentino".
Ha sido galardonado: Primer Premio Bastianini; Primer
Premio de la Provincia de Santa Cruz, "Comandante Pie-
drabuena"; Mención de Honor, Concurso Internacional
del cuento, "La Capital" de Rosario.

AMBITO DE LA CAPITAL FEDERAL

*Las circunstancias, los hechos y la nostalgia que parece
haber invadido el mundo, han acentuado esa modalidad
del porteño, y por qué no del argentino, de recordar, año-
rar y suspirar "su" Buenos Aires, imponente señora fin
de siglo que se maquilla permanentemente a la moda
sin poder impedir que aflore a diestra y siniestra su em-
paque original.*

*Mucho se habla de ella, de sus viejos barrios, de sus ca-
sas coloniales —desgraciadamente inexistentes— o de
sus lugares con anécdotas pintorescamente apócrifas.*

*Curiosamente lo más fascinante de la señora del Plata
es conocerla y vivirla visual y sensorialmente, descubrir-
la en la intimidad de sus baldíos, en la bruma o empa-
pada por la lluvia.*

José María Peña
Del prólogo de *"Letra e imagen de Buenos Aires"*

EL NACIMIENTO

María de Villarino

A pique sobre las barrancas del Río de la Plata y en torno de una fortaleza de barro apisonado, se agrupó el primer núcleo de población que constituiría el origen de la Villa de la Santísima Trinidad, Puerto de Santa María de Buenos Aires.

Desde el horizonte, el río vigilaba las trágicas orillas donde cuarenta y cuatro años antes la efímera ciudad de Don Pedro de Mendoza quedara asediada por el hambre y devastada por las flechas incendiarias de los aborígenes. Juan de Garay insistió en repoblar el mismo suelo en que el tiempo había sepultado aquel pentágono de la primera fundación, de cuya traza nos legara una lámina el alemán Ulrico Schmidl en su "Vera Historia", de 1580, con la narración de sus peripecias. Así, el 11 de junio de 1580, las cenizas de la extinguida ciudad de Mendoza sintiéronse estremecidas por una nueva gestación cuando Juan de Garay, desplegando el estandarte real a los primeros vientos del arribo, erigió en las barrancas del Riachuelo el Rollo de la Justicia, mojón inicial que se erguía como un tótem, clavado en su pecho el pergamino del Acta de la Segunda Fundación de Buenos Aires, bajo el signo de la cruz desnuda y de la espada apuntadora.

La meseta elegida por el fundador del área extendida entre los hoy Parque Lezama y Plaza San Martín pasando hacia San Telmo por el Alto de San Pedro, estaba surcado por zanjones y arroyuelos denominados

"Terceros". En las orillas y proximidades, anegadizas y enmarañadas de juncos y espadañas, tenían morada el puma, la culebra, las airosas cigüeñas laguneras. El ombú, el tala, el algarrobo, elevaban sus copas entre compactas islas de tunales agresivos. El grito denunciador del tero y el chajá daba voz a esas soledades por donde corría el avestruz sus libres y asustadizas carreras.

La primitiva aldea, de apenas 250 almas, fue un pequeño caserío de junco y barro: al frente, el horizonte del río; al fondo, las *"chácaras"* [1] destinadas a la labranza y pastoreo y, hacia tierra adentro, la pampa. Cielo y tierra, infinito bidimensional; plana de tiempo y espacio, donde la historia inscribirá su proceso de barbarie y civilización, de miseria y grandeza.

De *"Memoria de Buenos Aires"*
"Narración de la ciudad desde el nacimiento hasta el siglo XX"

MARIA DE VILLARINO

Escritora, nacida en La Plata, provincia de Buenos Aires. Egresó de la Universidad de su ciudad natal, con el título de profesora en Letras.
Autora entre otras obras de: "Calle apartada", "Junco sin sueño", "La rosa no debe morir", "Nuevas coplas de Martín Fierro", "Memorias de Bueno Aires".
Fue galardonada con la Faja de Honor de la Sociedad Argentina de escritores (1943) por "Pueblo en la niebla"; con el Premio Nacional 1948) por "Luz de memorias" y por el conjunto de toda su obra por el Ministerio de Educación de la provincia de Bs. As. (1962).

[1] Chacras.

BUENOS AIRES

Osvaldo Rossler

Buenos Aires de niño fue para mí una zona
limitada por árboles, por tres o cuatro calles,
por unas pocas casas de mesurado frente
situadas a lo largo de sus anchas veredas.

Cada arboleda un mundo, cada vereda el patio
prolongado de casa, cada calle un espacio
donde cabía toda la aventura y la magia.
La ciudad no existía pero yo la habitaba.

Nací, amigos, en Flores, quiero decir que Flores
durante muchos años fue mi solo universo,
fue mi patria, mi tierra, mi horizonte posible.
Nunca más volví a hallar un mundo más completo.

Recuerdo uno que otro paseo frente al río,
hacia plazas lejanas con mi madre muy joven.
Descubrí la ciudad sobre aguas, sobre verdes,
a través de mañanas que hoy reinicio por dentro.

Yo no sé del cuchillo que aureola tu leyenda,
tu historia de malevos tan graves como efímeros,
ni sé del arrabal que busqué adolescente
para sentirme cerca de los seres humildes.

. . . .

Tampoco he contemplado ventanas con su reja,
zaguanes que en su tiempo fueron un mundo aparte,
mi memoria recoge nada más que algún patio
perfumado por hondas glicinas ciudadanas.

. . . .

Si exalté a Buenos Aires es porque en ella tuve
la paz de alguna calle, la belleza de un río;
si exalté este contorno fue por el gran deseo
de añadirle a mi fondo la forma de mis días.

Aquí me crié y urdí mi propio laberinto,
aquí elevé mis horas en el amor o el odio,
aquí logré los diálogos más hondos con amigos,
aquí habré de morir un día señalado.

De *"Tiempo que vivo"*

OSVALDO ROSSLER

Nació en Buenos Aires en 1927. Numerosos viajes lo re-
lacionaron con la vida cultural europea y enriquecieron
su personalidad de poeta y ensayista.
Colabora en los más importantes suplementos literarios
del país y en revistas extranjeras. Publicó entre otras
obras "Buenos Aires dos por cuatro", "El último tran-
vía" y "Tiempo que vivo".

*Nada define mejor la idiosincrasia de un pueblo que su
propia música. El tango es la música de Buenos Aires.
Y acaso la expresión anímica y temperamental más re-
presentativa.*

Luis Adolfo Sierra

SUEÑO DE BARRILETE

Eladia Blázquez

Desde chico ya tenía en el mirar
esa loca fantasía de soñar,
fue mi sueño de purrete
ser igual que un barrilete
que elevándose entre nubes
con un viento de esperanzas sube, y sube.
Y crecí en ese mundo de ilusión,
escuché sólo a mi propio corazón,
mas la vida no es un juguete
y el lirismo es un billete sin valor.

Yo quise ser un barrillete
buscando altura a mi ideal
tratando de explicarme que la vida es algo más
que darlo todo por comida.
Y he sido igual que un barrilete,
al que un mal viento puso fin,
no sé si me falló la fe, la voluntad,
o acaso fue que me faltó piolín.

En amores sólo tuve decepción,
regalé por no vender mi corazón,
hice versos olvidando
que la vida es sólo prosa dolorida

que va ahogando lo mejor
y abriendo heridas, ¡ay! la vida.
Hoy me aterra este cansancio sin final,
hice trizas mi sonrisa de cristal,
cuando miro un barrilete
me pregunto: ¿aquel purrete dónde está?

ELADIA BLAZQUEZ

Autora y compositora contemporánea de letras y música
de tangos entre los cuales han alcanzado gran éxito "Mi
ciudad y mi gente", "Domingo de Buenos Aires" y "Sueño de barrilete".

CAFETIN DE BUENOS AIRES

Osvaldo Rossler

El café como entidad fue soslayado por el tango. Esta ausencia es singular. Quién no sabe entre nosotros de su significación como morada física y moral, de su valor dentro de la existencia que crea y condiciona Buenos Aires. Fue necesario que Discépolo, que en tantos otros sentidos enriqueció nuestra letra ciudadana, viniese a revelar, a descubrir prácticamente esa cosa tan próxima que como culto y hábito se ha establecido en tantos hijos de la ciudad.

El progreso, que no perdona nada que no tienda a sus fines, ese progreso que ensanchó a Corrientes y le agregó más luz a otros espacios ciudadanos, se ha empeñado en la muerte de estos sitios. Si aún abundan es porque expresan una necesidad, una costumbre difícilmente reemplazable por otra.

Situados generalmente sobre las esquinas, continuando la línea y el aspecto de las casas vecinas, casi nunca tocados por el halo de la modernidad, por una fantasía, un clima de misterio que en lo interior o en lo exterior ayude a la imaginación, demasiado impregnados por la ciudad que los alienta y los cobija, más que refugios o sitios de meditación, descansos para continuar la marcha, los cafés, sin embargo, tienen algo de todo lo que en uno pide por una calma, por un vínculo con la amistad o con las formas solidarias del silencio.

El día que desaparezcan todos —muchos han desaparecido ya y en su reemplazo se han erigido lugares

determinados por la sola necesidad de comer y beber—
Buenos Aires padecerá sobre su rostro la pérdida de un
gesto íntimo, uno de aquellos gestos que definen y
desnudan, tanto al que mira como al que es mirado.

Discépolo no podía ser ajeno a esta experiencia de
la vida porteña. En el café, él vio algo más que el resto.
Comenzó por idealizarlo. Luego lo convirtió en escuela,
en escenario de experiencias sucesivas: asombros, ci-
garrillos, sueños.

> "De chiquilín te miraba de afuera
> como esas cosas que nunca se alcanzan,
> la ñata contra el vidrio,
> en un azul de frío
> que sólo fue, viviendo,
> igual al mío.
> Como una escuela de todas las cosas,
> ya de muchacho, me diste, entre asombros,
> el cigarrillo,
> la fe en mis sueños
> y una esperanza de amor." [1]

. . . .

Y finalmente en el refugio, en el rincón donde uno
se aísla para llorar o confesarse a solas. Por eso lo
pudo cantar, porque lo había vivido.

De *"Buenos Aires dos por cuatro"*

OSVALDO ROSSLER

(Datos biográficos, ver página 196.)

[1] Del tango "Cafetín de Buenos Aires" (1948). Música de
Mariano Mores, versos de Enrique Santos Discépolo.

LETRA E IMAGEN DE BUENOS AIRES

Manuel Mujica Láinez

"Letra e imagen de Buenos Aires" une textos de Manuel Mujica Láinez y fotografías de Aldo Sessa. Sólo transcribimos la "letra" y creemos que la prosa de Mujica Láinez es capaz de sugerir la "imagen".

Parque Lezama.
Romántico Parque Lezama.
Se alejan los jarrones, entre palmeras.

A un lado está el Museo Histórico Nacional, con su fascinación de uniformes, chalecos rojos y porcelanas unitarias. La Historia se encoje y entra en las vitrinas: nadie puede ni quiere faltar. Los visitantes contemplan las efigies próceres, y las efigies próceres contemplan a los visitantes. Las salas se llenan de ojos.

Nuestra Catedral rivadaviana fraterniza, por encima del mar, con la Madeleine de París. Ambas tienen por antepasado, lejano, lejanísimo, al Partenón.

Muchas cosas importantes han sucedido aquí dentro. ¡Cuánto sufrir y cuánto triunfo! Los Te Deums y las llamas.

Y la gravedad del silencio, en torno de la tumba del héroe.

Las modas cambian y las ciudades se ajustan a las modas.

Buenos Aires, como toda gran ciudad, las sigue. Lo mismo que hubo una época en que los señores no podían andar por la calle sin sombrero, la hubo en que todo edificio digno exigía una cúpula. Hoy, los señores son sinsombreristas y los edificios también. Pero así como quedan algunos sectores rezagados —y entre ellos quien esto escribe— que todavía insisten en ostentar el tradicional sombrero, sobreviven en la metrópoli construcciones adictas a la cúpula, y no sólo a la cúpula sino a la alada escultura coronante: como la muy ilustre del Congreso Nacional y la muy graciosa del Círculo Español, últimos sombreros de una ciudad que se descubre.

MANUEL MUJICA LAINEZ

Nació en Buenos Aires en 1910. Redactor del diario "La Nación" de Buenos Aires, ha sido director general de Relaciones Culturales del Ministerio de Relaciones Exteriores y secretario del Museo Nacional de Arte Decorativo. Forma parte como académico de número de la Academia Argentina de Letras. Dentro de su obra narrativa destacamos "Misteriosa Buenos Aires", "Aquí vivieron", "Bomarzo", "El escarabajo".

JACARANDA

Silvina Ocampo

Discreta la luminosidad tenue del jacarandá
aquí se esconde entre el vulgar verdor
de otras plantas y de un farol sin luz.
No trata de mostrarse, de lucirse,
de imponer su belleza.
Casi azul no es azul.
Casi violeta no es violeta,
pero cuando caminamos sobre sus flores
caminamos sobre el cielo.
Si existieran santos entre los árboles,
jacarandá, serías mi santo
y depositaría a tus pies
la ofrenda de tus propias flores.

De *"Arboles de Buenos Aires"*

SILVINA OCAMPO

Nació en Buenos Aires. Sus obras han alcanzado gran
éxito de crítica y en 1942 obtuvo el Premio Municipal
de Poesía con "Enumeración de la Patria". Con "Lo
amargo por lo dulce" (1962) recibió el Primer Premio
Nacional de Literatura. Ha publicado entre otros los siguientes libros: "Las invitadas", "Los días de la noche",
y "Canto escolar".

INSCRIPCION EN SANTO DOMINGO

Carlos Alberto Débole

Debajo de estas piedras,
entre Saavedras y Álzagas, intruso,
yo, Juan García, un sin linaje, yago.
Fui ordenador de verticales,
el porfiado albañil de este recato
de severa y anclada arquitectura.
Las columnas hervían en mis manos.
Primero desbrocé la pampa chica
de matojos e indios,
luego di forma a la penumbra,
llevé la sombra de la cruz al río,
puse en jaula de plata
los dragones de incienso,
y ayudé a estas torres a encaramar palomas.
Cuando las invasiones
el plomo inglés me dio en el pecho.
Aquí caí.
Mi sangre escribió entonces
esta inscripción apenas descifrable:
Soy parte del olvido,
pueblo puro,
otro anónimo más
creciendo a Buenos Aires.

CARLOS ALBERTO DEBOLE

(Datos biográficos, ver página 115).

OBELISCO

Irene Vilas

Absorto monolito que conlleva
entre mares de cúpula y terraza
divergencia de calles con que abraza
el límpido epicentro en que se eleva.

Prismático alfiler que horada el cielo
y acompasa destinos tan arcanos,
es vértice de trémolos urbanos
y ala celeste de ángel en desvelo.

Cuchillo que recorta la neblina,
de la noche y del alba, centinela,
soberbia majestad de eterno hito.

Erizado al cenit, luz trasmarina,
fuego solar, sustancia de candela,
culminante destello de granito.

De *"Cenit y Nadir de Buenos Aires"*

IRENE VILAS

Nació en Buenos Aires. Profesora de Letras, comparte
la docencia con una rica y variada actividad literaria. Es
autora de libros de poemas como "Lava de estrellas" y
"Cenit y Nadir de Buenos Aires"; obras de teatro, "Tres
menos uno igual dos" y "En la sombra nupcial". Com-
pleta esta labor con ensayos periodísticos y conferen-
cias sobre temas de su especialidad.

LAS CALLES DE BUENOS AIRES

Emilio Breda

Las calles de Buenos Aires
no pertenecen al mundo
de las frías matemáticas.
No son sus nombres los números.
Como ocurre con La Plata.
Son capítulos de historia,
de geografía o de heráldica.
Llevan nombres de países,
de ciudades, de batallas,
de militares y políticos,
de dueños de las hazañas,
de juristas, de virreyes,
de nobles de pura raza,
de poetas y de músicos,
y también hasta de parias.
Pero siempre una palabra.
Que recuerda nuestros padres.
Que reedita nuestra infancia.
Nuestros primeros amores.
Nuestra esquina y nuestra barra.
Que circula en la memoria.
Que transita por el alma.
Y que les da rienda suelta

al recuerdo y la nostalgia.
Que define claramente
nuestro barrio y nuestra casa.
Que nos pone muy seguros
por la urbe agigantada.
Nos ubica para siempre,
casi eternos, en su mapa.

De *"Febril Buenos Aires"*

EMILIO BREDA

Poeta e historiador nacido en Buenos Aires en 1945. Ha publicado libros de poemas como: "Poesía del siglo XX". Tanto su labor historiográfica como literaria ha sido destacada por la crítica del país y del extranjero.

PALERMO

Mario Binetti

Con un abrazo verde que, inmaterial, se agranda
hacia una alegría de evasión y de espacio,
Palermo evoca siempre plenitud de arboledas,
y acerca sus divinas sombras para mi paso.

Tuvo casi mi vida hecha vagabundeos.
Por él sentí las horas como un rumor muy claro,
y en él dejé unos días, como pájaros, libres.
Ahora los contemplo, de otoño arrebujado.

Por todas partes anchas avenidas y troncos,
y surgiendo en su fuente, el Monumento, blanco.
Se va espesando en óleos una tarde de julio,
y un olor de resina me llega a las manos.
Cae, redondo y áureo, el sol que va poniendo
como sombras chinescas en el agua del lago.
Cruje un ramaje obscuro, pasa un fantasma, y sube
una niebla azulada que invade el alma... ¡Vamos!

JARDIN ZOOLOGICO

Un lago verde y tenso con sus lentos patitos,
la calesita antigua, estatuas, rejas, juegos,
un derramado enjambre de niños, y unos globos,
y unos petisos lindos, y los carameleros.

Y voces, y esos pasos de asombro, y un aroma
como de cordial selva, bíblicos seres, cielo.
Y la mañana nueva de domingo y su amparo,
¡y mi amor solitario detrás de tanto sueño!

De *"Viñetas de Buenos Aires"*

MARIO BINETTI

Nació en Buenos Aires en 1916. Poeta, ensayista y docente de Lengua y Literatura. Entre sus libros de poemas figuran "La sombra buena" y "La Lumbre dormida".
En "Viñetas de Buenos Aires", mezcla de prosa y poesía,
traza un itinerario de lugares de Buenos Aires.
Importantes premios literarios consagran su labor poética. Falleció en 1980.

LA VISITA

Hemilce Cárrega

En las últimas semanas se lo venían repitiendo cada vez que estaban frente a él. Y aquel día, tan pronto se hubo levantado, insistieron en lo mismo. Porque aquel día vendrían. Era el día de la visita. "Visita", decían. Pero él, al fin, se dio cuenta de que no se trató de una visita. Fue algo diferente. Sin embargo, aquel día, como siempre, dijeron "visita". Lo que no impidió que el elefante volara, girando en las alturas. Giraba y giraba sin cesar. Describía innumerables círculos. Las estrellas brillaban más allá de la trompa y los colmillos; de las orejas semejantes a hojas de repollo; de la panza maciza; de la cola diminuta y las patas torpes. Hacia arriba, muy alejada del elefante y del alto mástil cuyo mecanismo accionaba el curso del vuelo, se distinguía la lejanía espacial. Desde abajo, la gente, asombrada, con los cuellos estirados al máximo y la mirada atenta, observaba el trayecto. La estridencia de la música circense golpeaba la empalizada del parque de diversiones. ¿Cuándo terminaría de volar? ¿No se desplomaría? ¿No se rompería la crisma si cayera delante del kiosko, iluminado por guirnaldas de lamparillas eléctricas, desde cuyo interior un muchacho que usaba birrete blanco despachaba, sin tregua, bebidas y sandwiches a famélicas personas apostadas junto al mostrador?

De pronto, el elefante, las estrellas, los curiosos, la música y los hambrientos fueron absorbidos, inesperadamente, por la plomiza superficie de un rectángulo de vidrio. El silencio y la nada dominaron por un instante. De inmediato, la voz se impuso.

—¡Basta de mirar pavadas! ¡Todo el día con este maldito televisor! ¿No tenés nada mejor que hacer?... ¿O acaso no sabés que van a venir de un momento a otro?...

Huyó, entonces, la expresión de placidez que dominaba en el rostro boquiabierto de Pablito, cautivado por la imagen del elefante volador. Otra vez, el rezongo. Como una impostergable cuota diaria. Como una abeja que zumba, amenazante, mientras vuela implacablemente, alrededor de la cabeza de su próxima víctima.

—¿O qué te pensás?... ¿...que te vas a pasar la vida mirando idioteces? ¡Salí! ¡Salí de aquí y apuráte, que ahora mismo pueden llegar!

Pero si no eran idioteces. Un elefante volaba. Casi tocaba las estrellas con la trompa. Faltaba mucho para que lo consiguiera, pero si continuaba los giros, cada vez más altos y más altos, habría de lograrlo. ¿Cómo idioteces?

El tronar de la aspiradora se desplomó sobre la alfombra y obligó a Pablito a dejar el sofá. Fue a su dormitorio. Tomó un libro, lo abrió, miró una vez más la ilustración preferida, la de los cerros y, al instante empezó a leer. Olvidó, así, el elefante y los rezongos. Es decir, las posibilidades de alcanzar las estrellas y la abeja que zumba amenazante, mientras vuela, implacablemente, alrededor de la cabeza de su próxima víctima.

Le resultaba muy interesante lo de los chicos del cuento, que no vivían encerrados en las alturas, entre ascensores que suben y bajan, ni controlados por malhumorados porteros, que suelen protestar contra la instalación de los porteros eléctricos. Esos chicos recorrían, con plena libertad, muchos caminos polvorientos y podían gozar del vuelo de los pájaros que batían alas de plumas tornasoladas, a la altura de los ojos de aquéllos. Así lo narraba el cuento. Cuando llovía, se alborozaban guareciéndose dentro de una choza de cañas secas, hecha por ellos mismos. A veces, esos chicos de pelo aindiado comían en los montes. Pero, en general, almorzaban y cenaban con los padres, a quienes contaban sus correrías. Especialmente al padre que, aunque volvía agotado del cañaveral, los escuchaba con atención, según se deducía al mirar la ilustración. Pablito no sacaba la vista del menor, el que levantaba un vaso con la mano morena y estaba sentado junto a la madre. Ella le sonreía. Y la sonrisa dirigida al chico de la lámina se convertía en un gesto de cariño, que Pablito recibía como orientado hacia él mismo. Sentado en el puf, leía con interés y su mirada oscilaba, yendo de la letra impresa a la imagen en colores.

Después que hubo llegado a la parte que relataba cómo el tigre fue muerto de un certero balazo entre los ojos, Pablito cerró el libro, lo dejó sobre el puf y sacó de la repisa el avión. Así que faltaba poco para que vinieran. Con el brazo, sin querer, hizo caer el banderín sobre la pelota de fútbol. Puso el avión sobre el escritorio y empezó a desarmarlo, parte por parte, hasta que el aparato desapareció. ¡Cómo idioteces! El DC6 quedó reducido a un conjunto de piezas verdeaceitunadas desparramadas por la superficie blanca del escritorio. De inmediato comenzó a ordenarlas: el fuselaje, las alas, los motores, las hélices... Y bueno: que vengan de una vez. Los dedos apenas podían con las hélices. Eran muy pequeñas. El tren de aterrizaje... Pablito imaginaba que algún día él aterrizaría en Africa, con el grabador, para poder traer de allá, en la plástica longitud de una cinta, el rugido de los leones. ¡Cómo se quedarían en la escuela! ¡Qué diría Marcelo, al escucharlos! Las hélices se soltaron y fueron a dar junto al auto de carrera, al pie del diván. Las levantó y en el momento en que comenzaba a engarzarlas nuevamente, irrumpió, de pronto, la abeja amenazante. Y, otra vez, que "salí de aquí"; que "andá para allá"; que "¿no sabés que van a venir de un momento a otro?"; que "¿no te das cuenta de la hora que es y todavía todo revuelto?"; que "no te quedés aquí mirándome como un monigote"...

Dejó paso a la lustradora que viboreaba por el parquet encerado y salió del dormitorio. La abeja lo perseguía. ¡Uf! En el pasillo, con el apuro, casi hizo añicos el jarrón de porcelana, el de la japonesa con kimono amarillo y sombrilla verde. Y bueno: ¡que vengan de una vez!

¿Adónde ir, entonces? A la cocina. El olor de las papas fritas lo guió y reconfortó. Con papas fritas la vida puede ir mejor. Todo va mejor con papas fritas. Chillaba el aceite, colmado de trozos de papas, ya medio tostados, que se adivinaban crocantes. Crrr... crrr... Tía Luisa lavaba las hojas de una fresca planta de lechuga y a Pablito le pareció que hablaba sola. Al advertir que él había entrado en la cocina, volvió la cabeza y se quedó mirándolo, sin dejar de hacer. Sacudió las hojas. Mil gotitas de agua, iluminadas por el resplandor que entraba por la ventana, se desgranaron, brillaron y salpicaron los azulejos próximos a la pileta. Después cerró la canilla y le dijo lo que le venían repitiendo en las últimas semanas: "—Van a venir... ya falta poco..."

Y luego agregó, expresándose entre dientes, mientras secaba las manos en el delantal:

—¡Qué cosa, también, con esta gente... qué se yo...!

Pablito decidió sentarse en el banquito. ¡Cómo aburren con esos que van a venir! Y bueno ¡qué vengan de una vez!

El no sabía quiénes vendrían, ni para qué vendrían. Aunque algo había escuchado alguna que otra vez, sin entender bien de qué se trataba. La última tarde que su padre, tras larga ausencia, había estado por allí, su madre le echaba en cara una serie de cosas, y él, en tono elevado, hacía lo mismo, respecto de ella. En un momento dado su madre empezó a llorar. Oyó, entonces, claramente, (¡cómo para no oírlo!), el portazo aquel. Después nada más, hasta que la sirena de una ambulancia, o un patrullero, quién sabe, perforó el aire, se coló por los macetones del balcón que daba a la avenida, penetró en los interiores, se le acercó, lo atrapó y se le retorció dentro de las entrañas, con ululantes contorsiones de monstruo.

Ocurría, pues, que estaba allí, sentado en el banquito de la cocina, mientras las papas continuaban tostándose y las gotitas, paulatinamente, desaparecían de los azulejos. ¡Cómo idioteces! Y la cuchilla, sobre la mesa. Bien cerca. Pablito la miró tercamente. La miró y le acometió un incontenible deseo de hundir la punta filosa en el borde de la mesa para ir despegando, sin concesiones, la fórmica rosada. Poco a poco. Rayándola toda, sin concesiones. Así, cuando vinieran esos que iban a venir, ¡uf!, encontrarían la mesa deshecha.

—Si tía Luisa se va, lo hago... la rompo toda, de punta a punta.

Y su mirada no se apartaba de la cuchilla. Pero tía Luisa no se iba. Con una larga cuchara de madera y sin descuidar las papas que seguían friéndose, revolvía el contenido de una olla humeante, afirmada en la hornilla más grande. Tía Luisa era alta, delgada y solía ponerse, en lo alto del rodete canoso que le cubría parte de la nuca, una peineta negra, cuyo borde superior se hallaba recubierto por una fina lámina de cobre. Revolvía y revolvía. Hasta que el timbre sonó. Tía Luisa, entonces, dejó la cuchara sobre la mesada, tapó la olla, graduó la llama del gas hasta el punto mínimo, se restregó las manos en el delantal y, con cierta nerviosidad en los movimientos de los brazos, salió de la cocina. Algo murmuraba entre dientes. Pablito se puso de pie y se ubicó junto a la puerta entreabierta de tal modo, que lograría ver bien, sin que lo advirtieran, lo que ocurría.

Desde una habitación remota llegaba el ronroneo de la lustradora. De pronto, dejó de funcionar. Un hombre y una mujer desconocidos entraron luego y se detuvieron en el living-comedor, resplandeciente por la luminosidad de una hora que se aproximaba al mediodía. Por la angosta abertura que dejaba la puerta, el chico vio a la madre, que provenía de la remota habitación. Tenía el cabello en desorden, pero la blusa rayada y el pantalón de jean salvaban el decoro general de su figura. Se saludaron, dándose las manos. Se sentaron en el sofá grande los recién llegados, en el más chico su madre. Y empezaron a hablar de algunas cosas cuyo significado Pablito no entendía cabalmente, como siempre. Algo comentaban de un marido que nunca estaba, de una mujer que todo lo había desbaratado... de una loca. También hablaban de la venta del departamento para conseguir el dinero "... que necesito porque, de lo contrario, no sé qué voy a hacer y además tengo el problema del chico, porque para él el chico es un cero a la izquierda..."

El problema del chico. Un cero a la izquierda. Se dio cuenta de que el chico era él. No podía ser otro. El chico. No. El chico, no. El cero. Eso era él: un cero. Y, lo peor, a la izquierda. Como esos que la señorita Olga iba grabando en el pizarrón. Es decir: él no era él, sino un cero. No tenía ningún valor. Era un cero a la izquierda, al menos para su padre "...y yo ya no puedo seguir así; no soporto más... no sé qué hacer, tengo los nervios rotos y si continúo así uno de estos días soy capaz de..."

—Bueno, bueno, señora, por favor —interrumpió el hombre, en un tono amable y bondadoso, que llamó la atención de Pablito. Y agregó:

—En alguna medida, las cosas habrán de arreglarse. Nunca hay que desesperar tan terminantemente. Busquemos salidas, soluciones. Generalmente alguna se encuentra. Quizás no tan justa o como la que deseamos, pero salida o solución, al fin, que permite seguir adelante. Usted es joven todavía y tiene derecho a vivir la vida de acuerdo con...

Los bocinazos de la avenida impidieron entender las últimas palabras. Eran tantos y tales, que obligaban a pensar en un embotellamiento sin salida, sin solución. A pesar de que las ventanas estaban cerradas, se percibían con nitidez. A lo alto de diez pisos ascendían como burbujas metálicas y reventaban por todos lados, estruendosamente. Gradualmente fueron desapareciendo. Surgió otra vez aquello de "vivir la vida". Eso varias veces lo habían gritado en su casa. Especialmente su padre. Se preguntó Pablito que significa "vivir la vida". Quizás remontarse hacia el cielo estrellado en un elefante volador. Tal vez recorrer, con plena libertad, muchos caminos polvorientos y gozar del vuelo de los pájaros que baten alas de plumas tornasoladas. ¿O volar al Africa en un DC6, para penetrar en la selva, andar entre fieras y aturdirse con rugidos grabados en largas cintas de plástico?

Seguían hablando. Minuto a minuto el cabello de su madre se entreveraba, irreversiblemente, bajo las piruetas de una mano nerviosa, que revolvía, constantemente, los mechones rebeldes. En cierto momento la pareja se limitó a escuchar, con creciente interés. Los dos se mantenían inmóviles. No emitían opiniones. Cuando las dificultades acosan, es complicado acertar con las palabras precisas. La mujer, unos instantes después, escribió algo en una carpeta que apoyaba en la falda. Era zurda. Por eso, al escribir, tenía el cigarrillo en la mano derecha. Mientras la birome se desplazaba rápidamente, una fina columnita de humo ascendía y se diluía, enigmáticamente. Su madre no cesaba de hablar y gesticular. Nunca la había oído hablar tanto. Porque con su padre, en realidad, no acostumbraba hacerlo. Aquello no era hablar, sino discutir. Discutían siempre. Y, al cabo, se enfurecían con la puerta y con él. Pablito notó que el hombre y la mujer, en un momento dado, también hicieron gestos, como queriendo expresar "claro", "por supuesto", "¡qué cosa!", "¡qué barbaridad!", "¡qué vergüenza!", "no parece que fuera así", "¡quién lo hubiera creído!" La mujer terminó de sorprenderse, llevándose el cigarrillo a los labios pintados. Aspiró una profunda bocanada, y flexionó la cabeza hacia atrás. Sus ojos, inmensos, quedaron con la mirada clavada en un punto fijo del cielorraso. Una nubecita de humo flotó encima de los diminutos rizos castaños, vaporosos sobre la frente. Al acomodar categóricamente la espalda en el sofá, cuidando que no se le cayeran la carpeta y la birome, tintinearon las pulseras multicolores. Estas hacían juego con un extraño dije, colgado de una gruesa cadena plateada, y detenido a la altura del ombligo, sobre el amplio blusón. Era bastante joven.

O, por lo menos, aparentaba serlo. Pablito la recorrió con atención, observándola desde la imponente plataforma de corcho de los zapatos hasta los diminutos rizos castaños. Se parecía bastante a la cantante de la disquería, esa del poster de la vidriera que, según tía Luisa era un "escándalo". Casi, casi estaba por sacar la cabeza por la abertura dejada por la puerta entreabierta, para chistarla y guiñarle un ojo por entre el flequillo despeinado. Así hubiera proclamado una vez más, con intención diabólica, que era "un desubicado idéntico al padre".

—Hay tanta gente desorientada, tan poca sinceridad, tanta hipocresía....

—No crea, señora. Hay mucha gente buena... no crea. Claro, vivimos tiempo de grandes confusiones. Pero no debemos dejar que el caos nos arrastre. Tenemos que luchar contra él y aplastarlo. ¿Para qué tenemos la cabeza, la voluntad? Ante el desorden —explicaba el hombre— no queda sino buscar el orden. Buscarlo con la razón y también con esa parte noble de los sentimientos que quien más, quien menos, lleva dentro de sí. Porque si la razón y los sentimientos nobles son aniquilados, ¿quiere usted decirme qué nos queda sobre la tierra?

La pregunta formulada con énfasis, quedó clavada justo al borde del silencio que la siguió. Pablito, sin pestañear, se quedó medio pensativo. El hombre que había preguntado en vano, trajo a su memoria la figura del Inspector que un día llegó a la escuela y tras cumplir obligaciones de rutina, reunió a los alumnos en el patio cubierto. Allí les habló, aconsejándoles muchas cosas, con palabras medio difíciles. Y mientras el Inspector, en orden, hablaba de mantener el orden, nadie, en medio del desorden, le prestaba atención. De todos modos, al terminar, todos lo aplaudieron calurosamente. Pero allí, en su casa, era diferente. Allí no se aplaudía, pero se prestaba atención.

—...y si algo tiene que perderse en una época como la nuestra, en la que tantas cosas se pierden, ojalá —agregó con voz firme— no se pierdan los buenos sentimientos.

Hizo una pausa como para compaginar sus ideas y se acomodó los anteojos de gruesa armazón. El traje oscuro destacaba su presencia en la pana color arena del sofá. Luego, tras carraspear y cruzarse de piernas, prosiguió:

—Hay momentos en que me pregunto qué posee más alto valor: una vigorosa inteligencia, o un noble sentimiento... Su marido, por ejemplo, es inteligente, muy inteligente, no cabe la menor duda. Pero estamos viendo en qué aplica la inteligencia... —Y movió la cabeza significativamente, enarcando las cejas, en tanto los dedos de la mano tamborileaban sobre el brazo del sofá.

—¿Y cuándo llevarían ustedes al chico? —preguntó a su madre la mujer, mientras acomodaba la carpeta y la birome, cuyo copioso contenido impedía calzar con precisión su cierre.

—Lo antes posible —musitó la madre. Y un sollozo le ahogó la voz. Era el mismo sollozo cómplice del portazo, aquella tarde, cuando el sonido de la sirena de una ambulancia o un patrullero se filtró por los macetones del balcón que daba a la avenida.

Pero, ¿de qué chico hablaban? Porque él, Pablito, seguramente no tendría que ir a ningún lado, a no ser desde su casa a la escuela y de la escuela a su casa. De vez en cuando, eso sí, al supermercado, a toparse con la gente, los carritos rodantes, para esquivar altísimas pirámides de latas de conserva que amenazaban derrumbarse y romperle la cabeza. Al único sitio adonde le hubiera gustado ir era al cielo estrellado, montado en un elefante volador. O lejos, muy lejos, donde se podía gozar del vuelo de los pájaros que baten alas de plumas tornasoladas. O al Africa, en un DC6.

Se pusieron de pie. Dos tacitas de café vacías, sobre la mesa ratona, y un cenicero de cristal, colmado de colillas con rastros de lápiz labial, indicaban que la visita —como decían— estaba a punto de concluir. Pablito se escondió detrás de la puerta entreabierta. Pero antes le dio un último vistazo a la mujer que terminaba de colgar, en uno de los hombros, el bolso repleto. La mayoría de las papas fritas ya estarían tostadas. Algunas parecían haberse quemado un poco ¡Y bueno! ¡Uf!

—Vení —lo llamó tía Luisa, para que se apartara de la puerta. Y lo miró de una manera extraña, murmurando algo entre dientes, al mismo tiempo que se acercaba para acariciarle el cabello.

Al fin se fueron. Menos mal. Ya lo dejarían en paz.

Al día siguiente, una valija, junto a la puerta de entrada, indicaba que todo, en cierta medida, se había arreglado. La visita no había sido en vano.

Lo llevaron después, cuando hubo amanecido en la ciudad. El taxi se detuvo frente a una interminable verja, cuyos hierros negros se alzaban hacia el cielo lívido. Descendieron. El sol de la mañana era una muda presencia en los peldaños de la escalinata de acceso. Crujió un picaporte de bronce, bien lustrado. Y después que detrás de sus cortos pasos titubeantes se hubo cerrado una pesada y alta puerta de madera barnizada, Pablito empezó a recorrer la penumbra de un largo pasillo, tomado de la mano de la mujer de las pulseras multicolores y los diminutos rizos castaños. Un pasillo terminado en un ventanal abierto por el que tal vez, uno pudiera sacar la cabeza para guiñarle el ojo al sol resplandeciente, por entre el flequillo despeinado.

De *"Credos de la calle"*

HEMILCE CARREGA

Nació en Haedo, provincia de Buenos Aires. Es profesora en Letras, egresada de la Facultad de Filosofía y Letras de la Universidad de Buenos Aires. Alterna el ejercicio de la docencia con una intensa actividad literaria. Ha publicado ensayos críticos en diversos diarios y revistas y también dos libros de cuentos: "Credos de la calle" y "Nada nuevo".

SERENATA PARA LA TIERRA DE UNO

María Elena Walsh

Porque me duele si me quedo
pero me muero si me voy,
por todo y a pesar de todo, mi amor,
yo quiero vivir en vos.

Por tu decencia de vidala
y por tu escándalo de sol,
por tu verano con jazmines, mi amor,
yo quiero vivir con vos.

Porque el idioma de infancia
es un secreto entre los dos,
porque le diste reparo
al desarraigo de mi corazón.

Por tus antiguas rebeldías
y por la edad de tu dolor,
por tu esperanza interminable, mi amor,
yo quiero vivir en vos.

Para sembrarte de guitarra,
para cuidarte en cada flor
y odiar a los que te castigan, mi amor,
yo quiero vivir en vos.

MARIA ELENA WALSH

Nació en Ramos Mejía, provincia de Buenos Aires en 1930. Estudió en la Escuela Nacional de Bellas Artes. Obtuvo su título académico, pero ya en la mitad de la carrera mostró su verdadera vocación por las letras al publicar el libro de poemas "Otoño Imperdonable". A este libro le siguen varios otros, como "Baladas con Angel", "Hecho a mano" y los siguientes libros para niños: "Tutú Marambá", "El reino del revés" "El zoo loco", "Dailan Kifki", "Cuentos de Gulubú".

ODA AL MES DE NOVIEMBRE JUNTO AL RIO DE LA PLATA

Ricardo E. Molinari

Cuando yo esté ya desaparecido y puro, ¡oh Argentina,
    nación hermosa y soberana del Sur!,
en qué incansable desmemoria de la belleza de la vida
se moverán mi alma y el polvo contado de mis apaga-
    das venas.

Alguna vez os acordaréis de mí, campos, flores, árboles;
tierra: patria solitaria del hombre... Y volveréis
a verme a orilla de los ríos, sentado, mirando entrar en
    el agua las bagualadas
o viendo cómo se balancean los juncos con la creciente
    y el viento.

¡Oh río, padre antiguo, que llegas al mar con la frente
    velada por las nieblas y las flores! El Paraná y el
    Uruguay, dulces, vuelcan en ti sus cuerpos
    abrasados
y sus largas y abandonadas trenzas, rotas por las islas
o cubiertas de caracoles y arenas. Y te penetran
con los gritos del macá, de las cotorras y los picaflores.
    Con el calor de los cielos húmedos: dormidos...
con sus palmeras. Con el perfume del jazmín mangá,
de los caobas y los laureles; con el vaho de las cria-
    turas que mojan
sus cuerpos oscuros en los resplandecientes meandros;
con el reflejo de los ganados, y las montaraces visitas
    de la alimaña,
de la lampalagua torpe, el yaguareté, el puma y el ya-
    guareté-í, sangrientos.

¡Oh grandes ríos argentinos, poblados de pájaros, de
nubes errantes, perdidas y flores!
Juntos os veo entreverar las cabezas cansadas y los
correosos muslos y las deshechas sienes en el Río
de la Plata.
Aquí os estoy mirando; aquí me habríais visto, alguna
vez, reposar mi mano en otro ser, igual que una
zarza; desentendido.

En noviembre abren los jacarandaes sus ramos violetas,
y el tiempo es lejano y bello. Junto a esas barrancas,
mis ojos ven el ir de las velas, el vuelo de algunos
pájaros,
y siento cómo llega la tarde hasta mi rostro, y el aire
desaparecido de otros días.

Los ríos bajan del Norte con sus cítaras y llegan cau-
tivos al mar, con las bocas abiertas, huyendo de
los alegres montes; de los collados, de las voci-
feraciones,
a anegar en el océano sus apretadas congojas.

¿Quién recogerá mis cabellos, río sagrado; qué mar
duro golpeará en mi paladar la arrasada lengua;
quién se acordará de mí, sentado en tus ciegas riberas,
río hermoso?

¡Y saldrán las aguas al mar que eres tú, oh Dios mío!

De *"El Huésped y la melancolía"*

RICARDO MOLINARI

Nació en Buenos Aires en 1898. Es una de las figuras
representativas de la poesía de este siglo en nuestro
país y ha ejercido gran influencia en poetas jóvenes.
De su obra poética citaremos "El huésped y la melancolía", "Odas a orillas de un viejo río", "El cielo de las
alondras y las gaviotas".

GLOSARIO

Abra. Abertura ancha y despejada entre dos montañas.

Achaparrada. Aplícase a la arboleda baja, de ramas gruesas y abundantes.

Afrodita. Diosa griega de la belleza.

Agarrapalo. Especie de enredadera.

Alabastro. Mármol traslúcido con visos de colores.

Albardón. Voz rioplatense. Loma de tierra en las lagunas y esteros.

Algarrobo. Arbol siempre verde con copa de ramas irregulares y tortuosas. Su fruto es la algarroba.

Alimaña. Animal dañino para la caza menor, como el gato montés y la zorra.

Alisos. Arbol de flores blancas y de frutos pequeños, rojizos.

A los tientos. Atado en la parte trasera de la montura.

Alucinada. Deslumbrada.

Altamisas. Plantas compuestas de flores blancas, aromáticas y medicinales.

Amelga. Faja de terreno que se marca en un campo para sembrar.

Anaconda. Especie de boa que vive a orillas de los ríos americanos.

Apacheta. Montón de piedra que colocan los indios en las mesetas de los Andes como signo de devoción a los dioses.

Apero. Conjunto de prendas de la montura del caballo.

Aquilón. Norte, perteneciente o relativo al aquilón. Dícese del tiempo invernal.

Arca. Acacia, árbol de la familia de las leguminosas. Su madera de un color blanco grisáceo es muy resistente.

Arrayán. Mirto. Arbusto oloroso, de ramas flexibles y ramas pequeñas y blancas.

Aventado. Que es arrojado o impulsado por el viento.

Avío. Provisión que llevan los pastores o viajeros para comer en el campo o en el camino.

Azada. Instrumento que sirve para remover la tierra.

Baguala. Aire indio de la región del noroeste argentino, especialmente del ámbito jujeño, de ritmo triste y nostálgico.

Bagualada. Conjunto de caballos baguales o salvajes.

Baquía. En el Río de la Plata, conocimiento práctico de caminos.

Bardas. Cubiertas de paja, ramaje que se pone sobre las tapias de los corrales y de las huertas, para resguardarlos de las lluvias.

Barracán. Tela rústica y resistente tejida con hilos de color en telares domésticos.

Bejuco. Nombre de varias plantas tropicales de tallos largos y delgados que se extienden por el suelo y se arrollan en otros vegetales.

Bohío. Cabaña de ramas o cañas.

Botnia. Región de Europa al Este del Golfo del mismo nombre.

Boyar. Flotar.

Brea. Arbol pequeño que destila una resina de uso medicinal.

Britano. De la antigua Britania.

Cacharpaya. Fiesta de despedida. Con Cacharpaya se despide el Carnaval en su último día.

Cachilo. Argentinismo. Cachila, pájaro pequeño, pardo, que hace nido en el suelo.

Caldén. Argentinismo. Arbusto que da leña liviana.

Calchaquí. Nombre de una tribu de indios y del valle situado al Oeste de la provincia de Salta.

Cangrejal. Voz rioplatense. Terreno húmedo y bajo donde se crían ciertos cangrejillos negruzcos.

Carandá. Caranday. Palmera de América del Sur.

Carnestolendas. Voz familiar que designa en plural la fiesta del carnaval.

Carona. Prenda del recado hecha de cuero crudo que se coloca encima de las jergas, para aislar del sudor del caballo el resto del apero.

Carroña. Carne corrompida.

Cenit. Punto del cielo al que corresponde verticalmente otro de la tierra.

Centolla. Crustáceo de carne muy apreciada.

Cercén. A raíz. Cortar a cercén.

Cetrino. De color verdoso amarillento.

Cíngulo. Cordón con que se ciñe el alba, vestidura blanca del sacerdote.

Combado. Teja. Pieza de barro cocido que se usa para cubrir techumbres.

Coral. Celentéreo cuyo soporte caliza, blanco, rosado o encarnado se usa en joyería.

Cortejo. Finca rústica.

Cubiles. Cubil. Guarida de fieras.

Cuchilla. Voz rioplatense. Loma o meseta prolongada.

Cuerno de cabra. Cierta leña de la región andina.

Cumbrera. Caballete del tejado.

Chajá. Voz rioplatense. Ave zancuda de color ceniza.

Chalchalero. Zorzal colorado de armonioso canto.

Chañar. Arbol originario de América del Sur. Su fruto se consume como alimento o para elaborar bebidas fermentadas.

Chapetón. Americanismo. Español recién llegado.

Charango. Especie de guitarra muy pequeña, de cinco cuerdas y de sonido muy agudo.

Chilca. Planta resinosa.

Chinchorro. Embarcación pequeña de remos.

Choschoris. Topo de los Andes. Roedor puneño, gris, de piel fina.

Chulo. Del quichua. Gorra de lana que usan los arrieros para resguardarse del frío de la cordillera.

Chuspa. Del quichua. Bolsita tejida que sirve para guardar las hojas de coca.

Chuzazo. Golpe con el látigo.

Decurión. Miembro del gobierno municipal en la Roma antigua.

Demiurgo. Alma universal. Principio activo del mundo.

Derecera. Camino recto.

Desmañado. Falto de maña y habilidad.

Dinosaurio. Reptil fósil gigante.

Embolismo. Confusiones, enredos.

Empavesar. Engalanar una embarcación con bandera.

Enjaezados. Poner los arreos al caballo.

Erial. Tierra sin cultivar.

Espinillo. Argentinismo. Arbusto espinoso.

Estero. Voz rioplatense. Terreno bajo y pantanoso.

Etamina. Tela de trama abierta.

Exorcismo. Conjuro contra el demonio.

Fachinal. Americanismo. Lugar pantanoso.

Fasto. Feliz, venturoso.

Fragor. Ruido estruendoso.

Garrocha. Vara con un gancho en la punta.

Gélido. Helado, frío.

Geórgicas. Poema de Virgilio en el que glorifica la vida en el campo.

Grampas. Piezas de hierro con uno o sus dos extremos doblados, que se elevan para unir dos cosas o dos partes de una cosa.

Gredosas. De greda. Especie de arcilla.

Guaco. Voz quichua. Pato silvestre.

Guardamonte. Argentinismo. Piezas de cuero que cuelgan de la parte delantera de la montura y sirven para defender las piernas del jinete de la maleza del monte.

Gubia. Formón en forma de media caña.

Hato. Porción de ganado menor.

Heces. Plural de hez. Cosa vil o despreciable.

Herquencho. Instrumento de viento usado por los indios del Altiplano.

Hirsuta. Erizada.

Horcomolle. Molle muy frondoso.

Horcones. En las chozas, madero fijo en el suelo.

Hosanna. Exclamación de júbilo usada en la liturgia católica.

Huainito. Diminutivo del huaino. Baile popular primitivo del norte procedente del Alto Perú.

Ignaro. Que no tiene noticias de las cosas.

Imilla. Criada indígena.

Imperante. Que impera o rige.

Ingrávido. Sin peso. Leve.

Iro. Voz indígena. Papa.

Jamelgo. Caballo flaco por estar hambriento.

Jarilla. Arbol que crece en nuestro país estimado por su abundante resina.

Jaspe. Piedra dura y opaca. Mármol veteado.

Jazmín mangá. Variedad de jazmín.

Julepe. Americanismo. Miedo, susto, temor.

Jume. Arbusto espinoso.

Lagares. Plural de lagar, lugar donde se prensan las uvas u otros frutos.

Lampalagua. Boa acuática de América que llega a medir 8 metros de largo.

Lapacho. Voz rioplatense. Arbol sudamericano de madera muy apreciada en ebanistería.

Liana. Ver bejuco.

Lívido. Amoratado.

Lobanillo. Tumor superficial formado en alguna parte del cuerpo.

Macá. Voz rioplatense. Especie de ave palmípeda.

Magra. Delgada.

Mancera. Esteva o pieza curva por donde se empuja el arado.

Mandioca. Arbol de cuya raíz se etrae la tapioca.

Mangrullo. Voz rioplatense. Vigía, atalaya.

Meandro. Curva o sinuosidad de un río.

Mocovíes. Indígenas de la provincia del Chaco y de Santa Fe.

Mojiganga. Fiesta pública que se hace con varios disfraces ridículos, especialmente con figuras de animales. Cosa ridícula con quien parece que alguien se burla de otro.

Mojón. Hito, señal que se coloca en un camino para que sirva de guía.

Molle. Árbol del Norte argentino. Frondoso, de flores blancas; con sus frutas se hace el arrope.

Opima. Rica, fértil, abundante.

Oprobio. Ignominia, afrenta, deshonra.

Orbes. Mundos.

Orujo. Hollejo de la uva exprimida.

Osamenta. Esqueleto.

Pailas. Vasija metálica grande, redonda y de poca profundidad.

Palio. Dosel portátil que se usa en ciertas procesiones.

Palo'i chalchal. Palo del Chalchal, árbol de poca altura de fruto comestible. Los zorzales colorados del Norte, los chalchaleros, se alimentan de esa fruta.

Pámpanos. Sarmientos tiernos de la vid.

Paradójicamente. Que incluye paradoja, es decir: una oración falsa que parece verdadera.

Parche legüero. Piel del bombo que se oye a lo lejos.

Pava del monte. Pavo silvestre.

Payés.. Argentinismo. Brujería, gualicho.

Penea. Hoja carnosa de algunas plantas.

Pellón. Colchón de la cama del gaucho.

Petardista. El que estafa.

Pichanilla. Americanismo. Planta con que se hacen escobas (pichanas).

Pillar. sorprender.

Pircó. De pircar: fabricar pircas, muros de piedras.

Pirguas. Embarcación larga y estrecha. Navega a vela o a remo.

Pringosa. Que está sucio de pringue o de alguna otra sustancia grasosa.

Puco. Escudilla, plato.

Poleo. Arbusto de uso medicinal.

Pullo calamaco. Manta de lana gruesa tejida a mano.

Quincho. Argentinismo. Choza de techo de quincha (cañas o juncos) apoyado en postes.

Quirquincho. Argentinismo. Armadillo, mamífero desdentado cuyo cuerpo está protegido con un caparazón.

Randa. Encaje de tipo malla labrado a la aguja.

Real. Lugar donde los viajeros pernoctan durante viajes y travesías.

Remembranza. Recuerdo, memoria de algo.

Resacas. Argentinismo. Limo y residuos que quedan después de retirarse el agua.

Retreta. Americanismo. Fiesta nocturna durante la cual bandas militares ejecutan marchas para distracción de la población.

Reverberante. Que refleja la luz.

Ripiosa. Lleno de ripios o fragmentos de piedras.

Salamancas. Brujerías.

Sagitario. Noveno signo del Zodíaco.

Salmo pluvial. Canto a la lluvia. Título de una poesía de Leopoldo Lugones.

Santamariano. Oriundo de Santa María de Catamarca.

Saurio. Orden de los reptiles a los que pertenecen los cocodrilos, los lagartos, etc.

Schmidl Ulrico. Soldado aleman que formó parte de la expedición de Pedro de Mendoza, de la que fue su cronista (1536).

Segur. Hoz para segar.

Sigilo. Secreto, discreción, prudencia.

Sillonero. Sillero. Caballo con silla, aparejo que reemplaza al recado.

Sofrenarse. Reprimir el jinete a la caballería.

Supina. Dícese de la ignorancia que procede de la indigencia.

Tala. Americanismo. Árbol frondoso, de madera blanca y muy fuerte.

Talud. Declive del suelo.

Témpano. Masa de hielo que flota sobre el mar.

Tientos. Tira de cuero delgada.

Timboes. Plural de timbó. Árbol de madera muy sólida.

Torva. Remolino de agua o de nieve.

Torzales. Americanismo. En el Río de la Plata, lazo o maneador de 2 ó 3 tiras retorcidas.

Tósiga. Venenosa.

Totora. Americanismo por anea: planta de hojas largas y angostas que se usa para cubrir techos o hacer esteras.

Trocha. Americanismo. Vía del ferrocarril.

Tromba. Columna de agua o vapor que se eleva desde el mar con movimientos giratorios por efecto de un torbellino atmosférico.

Tusca. Árbol espinoso que se utiliza para leña y forraje.

Turbiones. Plural de turbión. Aguacero con viento fuerte.

Ululante. Que emite gritos o alaridos.

Urpilas. Palomas pequeñas.

Vega. Tierra baja, llena y fértil.

Vericueto. Sitio alto, por donde se anda con dificultad.

Ventisquero. Masa de hielo y nieve en las alturas de la montaña.

Victoria regia. Flor de la familia de las ninfáceas, originales de América, cuyas hojas tienen hasta dos metros de diámetro.

Virgilio. Virgilio Maron, eminente poeta latino (70 - 19 a. de J. C.).

Volantines. Americanismo. Cometa, barrilete.

Winchester. Fusil de repetición.

Yago. Inflexión del verbo yacer.

Yareta. Del quichua. Planta perenne de la cordillera de los Andes, que crece achaparrada.

Yaguareté. Argentinismo. Jaguar.

Zalea. Piel del carnero con lana.

Zampas. Pilote que se hunde en terreno poco firme.

INDICE

Esta edición, ha sido compuesta en tipo Permanent, compaginada, impresa y encuadernada en Macagno, Landa y Cía., S.R.L., Aráoz 160/164. Buenos Aires, Argentina.
Setiembre 1983.

El mapa inserto en la presente publicación, ha sido aprobado por el Instituto Geográfico Militar en cumplimiento del Decreto N° 8944/46 por expediente N° GG 3-4020/157.